꾸러기 수비대의 일상

2023 뒷동산행기

꾸러기 수비대의 일상 2023 뒷동산행기

발　행 | 2024년 1월 5일
저　자 | 조옥화
펴낸이 | 한건희
펴낸곳 | 주식회사 부크크
출판사등록 | 2014.07.15.(제2014-16호)
주　소 | 서울특별시 금천구 가산디지털1로 119 SK트윈타워 A동 305호
전　화 | 1670-8316
이메일 | info@bookk.co.kr

ISBN | 979-11-410-6476-1

www.bookk.co.kr

꾸러기 수비대의 일상

2023 뒷동산행기

조옥화 지음

차 례

2023년 **겨울** -------- 007

봄 -------- 057

여름 -------- 095

가을 -------- 126

작가의 말 -------- 148

1월

점심 메뉴

"계묘년 새해 출발, '변함없는 매일을 새해라는 이름으로 멋지게 그려볼까?' 하는 바람은 점심 메뉴로 아들이랑 실랑이하면서 무너졌습니다. "오늘 점심은 무얼 먹을까?" 하며 어미 보고 생각을 하라기에 "냉면!" 하면 "싫어!" 하고 "쌀국수!", "싫어!", "그럼 구워 먹는 탕수육!" 하니까 조금 뜸을 들이다가 "싫어!" 합니다. 그래서 아들이 먹고 싶은 게 무엇인지 생각을 해 보라니까, 그건 어미가 해야 한다고 다시 떠넘깁니다. 늘 같은 레퍼토리인데 오늘은 어미가 받아주지 못하고 짜증을 부렸습니다. '엄마가 말하면 싫어하지 않느냐'니까 맞다고 하기에 "어쩌라구~ 그럼 굶어!" 했더니, 뭐라고 혼자 구시렁거리면서 아들만의 놀이터로 휘리릭 가버렸습니다. "으이구~ 못된 놈." 하며 어미도 툴툴거리는데 딸랑구에게 전화가 옵니다. 딸랑구랑 통화를 하면서 아들놈이 점심 메뉴를 어미보고 생각하라더니 정해주면 싫다 하고, 오늘은 어미가 받아주는 마음이 없노라고 하니까 딸랑구 어미 편이 되어 "먹고 싶은 거 지 돈으로 사먹으라 그래!" 합니다. ㅎㅎㅎ 딸랑구 덕분에 어미 맘이 풀려서 아무 일도 없었던 냥 아들에게 먹고 싶은 메뉴를 아들이 사라고 했습니다. 아들이 씨익 웃더니 돈이 없다고 하기에 연금 나오면 갚으라니까 한참을 생각합니다. 그러더니 '연금이 얼마나 된다고 자꾸 쓰라고 하냐'며 '엄마 신발 사줬는데 다 쓰면 어쩌냐'면서 안된다고 하네요. 해서 어미도 돈이 없다고 하니까 지금껏 잘 살아오지 않았느냐며 어미가 주는 대로 먹겠노라고 합니다. ㅎㅎㅎ 어미가 이겼을까요?

못된 놈, 정상 정자를 그냥 지나칩니다. 커피 아저씨들이 아들이 화가 났나 보다며 그냥 놔두면 올라올 것이라 합니다. 그래도 어미가 아들 마음을 풀어주려 중간 못 미치는 곳에서 기다리니 혼자만의 시간을 한참 즐긴 아들이 터덜터덜 올라옵니다. 어미가 한참 기다렸노라 말하며 유자차를 건네주었습니다. 아들은 차를 마시고 아저씨들 앞으로 가더니 "이것들아, 박수!" 합니다. 이건 아니지 싶어서 나이 한 살 더 먹었으니 말버릇 좀 고치라고 다그쳤지만, 이방원 아저씨를 비롯해서 괜찮다며 "악의가 없잖아~" 합니다. 그래도 이건 아니라고 했더니 아들이 어미 입을 막으면서 괜찮다고 하지 않느냐고 합니다. 어쩔 수 없이 죄송하다는 인사를 전하고 집으로 향하면서 다시 한번 아들과 조율을 합니다.

하지만 아들은 들으려 하지 않고 또 다른 아저씨들께 향하는데, 이쁜 언니들이 웃으며 인사를 합니다. 아들이 좋아하는 젊은 처자 둘, 알고 보니 아들이랑 같은 나이 80년생입니다. 판결을 부탁한다고 말하면서 상황을 설명하니까 아들에게 다음에는 그러지 말아야 한다고 말해주네요. 아들은 그제야 수긍하는 듯 하다가 "2024년은 갑진년 우리 엄마 해."라고 엉뚱한 소리를 해 빵 터져 웃으며 마무리했습니다.

0103

화해

세상을 꽁꽁 얼게 하려는지 기본 영하 7~8도에 콧물 고드름을 닦아주기에 바쁜 요즘, 모처럼 0°라는 알림이 반갑기까지 합니다. 헌데, 어젯밤에 내린 눈이 뒷동산 여행을 긴장하게 합니다. 어미 손을 꼬옥 잡은 아들이 조심하라고 당부를 하면서 혹 아이젠은 챙겼냐고 묻기에, 챙기긴 했는데 아이젠을 할 만큼은 아닌 것 같다고 답해주며 데코길로 들어섭니다.

약간의 눈길이 조심스럽지만 괜찮은 산행길이 되었습니다. 이유인즉 쌓이기 전에 쓸어 내는 아저씨들 덕분이었습니다. 아저씨 두 분이 눈삽으로 밀어내며 치우는 모습을 보고 아들이 "아이고~ 수고가 많으십니다. 새해 복 많이 받으시고, 제가 해야 하는데 고생이 많으시네요." 합니다. 헌데, 묵묵무답으로 어여 가라는 손짓을 하며 한 켠으로 비켜서시는 아저씨와 악수를 청하는 아들. 그 모습을 본 어미가 아들 손을 순간 잡아주면서 힘들게 일 하시니까 인사는 나중에 하자 했습니다.

그런데 순조롭게 지나쳐 늘 하는 코스 놀이를 끝내고, 집으로 내려오는 마지막 코스에서 어미와 아들 분쟁이 시작되었습니다.

샛길로 다니지 말라며 막아놓은 길로 아들이 굳이 들어가 울타리 아래로 나오느라 완전 포복 자세로 기어 나옵니다. '왜 가지 말라는 길로 가서 힘겹게 나오느냐'며 개구멍이라고 어미가 칭하면서 승현이가 아니라 개의 새끼인 개새끼라고 했습니다. ㅎㅎ 욕이 되어 전달된 아들이 개새끼라고 하지 말라기에 개나 다닐만한 길의 울타리를 개처럼 기어 나왔으니 개새끼가 맞다고 했습니다.

통화하며 이를 전해 들은 딸랑구는 다음에 아들이 그대로 개새끼라는 말을 써먹을 것이라고 하는 말에 어미는 아차! 싶었습니다만 어쩌리오~ 이미 지나간 순간의 처사였음을~ 헌데, 오늘 또 어제와 같은 길로 들어가 누워 나오려 하기에 어미가 안 된다고 땅이 젖어 있으니 제발 되돌아오라고 당부를 했지만, 고집을 부리며 어미 말을 들으려 하지 않습니다. 해서 눕지 말고 울타리 중간을 통해 다리부터 걸쳐서 나오는 방법을 일러주려는데 듣지 않고 포복으로 나옵니다. 순간 어미도 폭발하여 마구 때리며 못됐다고 소리쳤습니다. 화가 머리끝까지 난 어미는 아들에게 파출소로 가자 했지만 끄떡하지도 않고 집으로 가버립니다. 소리 없이 아들 뒤를 따르며 마음을 진정시키면서 어떻게 처신해야 하나를 생각해 봤지만, 답이 보이지를 않아 침묵으로 대응합니다.

점심으로 초밥을 먹겠다는 아들과 약속을 지키려고 어미 혼자 집을 나서는데, 힘으로는 당해낼 수 없고 말로 설명을 해도 되지 않으니 오늘은 아들이 무거운 짐이 되어 어미 맘을 짓누릅니다. 말없이 점심을 챙겨주고 샤워를 하려고 욕실로 들어서는데, 아들이 두 팔 벌려 어미를 감싸 안으면서 "엄마, 미안해. 앞으로는 잘 할게~"합니다. 순간, 어미는 애기가 되어 잉잉 소리를 내면서 울고 말았습니다. "엄마도 미안해. 아들을 많이 사랑하면서 폭력을 써서~ 참 많이 속상했단 말이야, 잉잉~ 엄마도 더 많이 사랑하고 좋은 말만 할게." 잉잉 소리 내어 울면서 주절거리는 어미에게 아들도 울먹이며 "나도 엄마 사랑해~" 합니다. 우리 아들이 참으로 멋지다는 생각이 어미를 다시 웃게 합니다.

0107

덕분에

　오늘도 어미와 아들의 뒷동산 놀이는 여지없이 출동입니다. 아들은 어미 손을 잡고 뒷동산을 오르면서 '계묘년이 가면 갑진년 어미 해가 온다'기에 '새초미(토끼)가 이제 막 시작인데 드라고(용) 타령을 하냐'고 했더니, 덧없이 흘러가는 것이 세월이라며 인생무상이라 하네요. 우리 아들, 오늘은 철학자 같다며 아들 팔을 잡아 안는데, 늘 마주하며 커피 타임과 아들 무술 놀이를 응해주는 아저씨가 앞서가며 어미 팔을 툭툭 건듭니다.

"아들 때문에 엄마가 하루도 빠짐없이 운동을 하니 건강하다."

　아저씨의 말이 끝나기도 전에 아들 때문이라는 대목에서 아들이 휘리릭 되돌아 가버립니다. 아저씨와 인사를 나누고는 아들을 향해 가면서 불러보는데 더이상 안 간다고 포악을 부리며 집으로 향합니다. 대강 끝날 것 같지가 않아 뛰어가 아들을 잡아 세워 놓고는 차분히 아들 덕분에 어미가 건강한 것이라는 건 칭찬이라고 했습니다. 그러자 그런 거냐며, 그런데 왜 아들 때문이냐고 묻습니다. '때문'이라는 말이 아들 심기를 건드렸구나 하면서 덕분에라는 말이 듣기 좋은데~ 하고 말꼬리를 돌립니다. 그리고 오늘은 쌍둥이 형아가 오는 날이니까 기분 좋게 다시 출발 해보자 하니, 그 말이 먹혀 뒷동산 코스 놀이를 끝내고 집으로 겨우 안착합니다.

　1월 3일 화요일에 방문한다고 했던 쌍둥이 형(상담 선생님)이 오늘 왔습니다. 지난해 12월에는 날씨가 너무 추워 어미가 오지 말라고 해서 두 달 만에~ ㅎㅎ 아니지, 흔한 우스갯소리로 해가 바뀌었으니 1년 만의 만남이라 칭하렵니다. 어찌 됐든 아들 첫인사가 왜 왔느냐고, 가라고 어깃장을 부립니다. 어미는 민망해서 어쩌지 못하고 아들에게만 왜 그러냐 하는데, 선생님은 개의치 않고 새해 복 많이 받으라면서 승현 씨가 좋아하는 돈까스 내기 놀이 수행을 해야 한다고 합니다. 아들이 선생님께 생각의 표현을 거침없이 하는 것을 보니 많이 친해져 있는 상황까지 왔는데, 다음 달 한 번만 더 오면 임무 완수라고 올 수가 없다고 합니다. 아들이 왜냐고 묻기에 어미가 아들 연금을 받을 수 있는 편지 써주는 일을 쌍둥이 형아가 했는데, 그래서 연금이 곧 나오지 않느냐며 아들에게 확인을 해가면서 설명을 했습니다. 했더니 2월은 추우니까 3월, 4월, 5월 이렇게 오라고 합니다. 만남의 인연에서 좋은 결과를 가질 수 있어 행복한 헤어짐이 될 것 같습니다. 고맙고, 고맙습니다.

선생님 덕분에 아들이 어미에게 신발을 사주고는 아껴 신으라고 으쓱해 했지요. 게다가 경제 관념이 없이 마구 쓸 것 같았는데, 한 번 더 생각하며 아껴두는 모습을 보면서 든든함의 행복을 맛볼 수 있었습니다. 선생님 수고에 감사합니다. 늘 기억하면서 건강과 가정의 행복을 기도하겠습니다.

0110

돈의 위력

아침밥을 먹으면서 혼자 주절거리는 아들 말을 옮겨 봅니다.

"아침밥을 먹는 건 살기 위한 일상생활이야, 광개토태왕 한 편을 보는 것도 일상이야. 뒷동산을 엄마와 함께 아침 먹고 오르는 것도 일상이야."

그러더니 열두 동물 작업이랑 여의봉 작업은 왜 하느냐며 그 또한 일상이랍니다. 도대체 누구랑 이야기하는지, 원~ 아들의 자신에게 암시하는 걸까? 하는데 '점심은 뭘 먹어야 하느냐'며 "떡볶이?" 하더니 아니라며 먹었다고 합니다. 혼자서도 잘 놀고 있다는 생각을 하는데 "엄마아~ 잘 먹었어, 출발하자~" 하더니 내일은 일요일이라 동물 농장에 서프라이즈를 봐야 하고, 어미는 햄버거를 사와야 한다고 합니다.

아들의 수다와 함께 뒷동산으로 출발하면서 아들이 연금은 언제 나오느냐고 묻습니다. 20일인 것 같은데 통장으로 입금이 되면 동생이(아들 통장 관리를 딸랑구가 함) 알려 줄 것이라고 했습니다. 왜냐고 물으니 "그냥, 참 좋다." 합니다. 왜냐고 물으며 연금이 뭐냐고 하니까 '돈이라는 거'라고 답하기에 '돈의 힘이냐'고 되물으니 어깨를 으쓱하며 '돈의 위력'이라고 하네요. ㅎㅎㅎ 그러더니 어제저녁에 동생이 'ㅇㅇ가 연금 나오면 한 턱 쏘라고 했다'기에 뭐라 답했느냐니까 생각해 보겠노라 했답니다. 아고~

자린고비 구두쇠라니까 구두쇠라고는 하지 말라고 합니다. 돈의 필요성은 알지만 단위는 잘 모르는 듯한 아들이 돈의 가치는 아는 듯하여 뿌듯한 마음으로 바라보다가 아들 볼을 살짝 꼬집어 주었습니다. ㅎㅎㅎ

딸랑구가 아들과의 통화를 말해주면서 사랑도 돈의 위력에 짓눌렸다 하던 말이 생각나 다시 한번 웃으면서 뒷동산 코스 놀이를 합니다. 비가 와서 벤치에 앉을 수가 없는데 주저앉기에 엉덩이 젖는다고 말렸더니 뿔이 나서는 휙 돌아가면서 어미 혼자 가라고 합니다. 기분 좋은 출발이 다시 엉켜버려 어미와 아들은 따로 국밥이 되어 정상을 향해 오르다가, 혼자 주절거리더니 마음이 풀렸는지 어미 곁에서 슬그머니 손을 잡는 아들. 어미도 모른 척 잡아주며 코스 놀이를 이어갑니다. 만나는 이들에게 '반갑습니다' 인사를 하며 무술을 보여주겠노라고 힘주어 말하고, 휙휙 여의봉을 팽그르르 돌리기까지 하던 아들이 20일에는 이제 월급을 받는다고 느닷 없이 자랑을 합니다. 의아해하며 어미를 바라보는 아주머니께 연금이라고 하니까 아~ 하며 축하한다고 말해주며 어깨를 다독여줍니다.

오늘도 어우러지는 아들을 바라보면서 미소 가득입니다.

0114

긴 세월

페북에 올린 댓글을 보고 어미는 생각에 빠졌습니다.

80년 10월 어느 날 이란성 쌍둥이라는 할아버지 의사 선생님의 알림에 가슴이 철렁했습니다. 그 당시에는 성별이 다른 쌍둥이에 대한 전설같이 전해 내려오는 괴담이 있었지요. 가슴이 오그라드는 불안함이 있었지만 두 아기를 가슴에 안는 순간 소중한 보물이 내게 왔음에 감사했습니다. 두 아이에 파묻혀 힘겨운 육아였지만 너무나 소중하고 예뻐서 다른 사람들이 만지는 것조차 용납하고 싶지 않았습니다.

딸랑구는 암팡지리만큼 자기 몫을 잘 해 주었지만, 아들은 15개월 즈음에 그 당시 유행병처럼 돌던 갑작스런 뇌의 이상으로 의식을 잃어버리는 급성 뇌증이 찾아왔고, 병원을 찾기 시작하면서 어미 손을 독차지하기 시작했습니다. 그렇게 커가던 아들이 초등학교를 입학하면서부터 망설임과 또 다른 희망을 갖고 평범한 일상이 아니라 특별한 생활이 시작됩니다. 특수학교보다는 일반학교 내의 특수반을 선택했고, 조금 천천히 가는 걸로 마음을 먹으면서도 모든 사람들이 살아가는 평범한 대열에 합류하기를 바라는 마음이었습니다.

그렇게 그런대로 실업고등학교까지는 마무리 할 수 있었습니다. 하지만 그 다음은 길이 보이지 않아 집에서 아들 나름 정해진 룰대로 생활하고 있었는데, 딸랑구가 장애인 복지관을 찾아내서 면담을 한 후 어미에게 합의를 하기에 또 한 번 생각에 빠졌습니다. 어미는 이 세상 누구보다 우리 아들이 똑똑하고, 멋지고, 무엇 하나 부족함이 없다고 소리치고 싶지만, 세상이 보는 아들은 부족한 장애인이라는 판정을 내립니다.

어미 나름대로는 고등학교를 졸업하고 나면 책을 좋아하니 작은 책방을 차려줄까, 아니면 작은 찻집을 할까 생각했지만…. 허나 돈 이라는 것이 따르고 어미 혼자만의 생각으로 될 수 있음이 아니기 에 전전긍긍 세월만 보내던 중, 딸랑구의 현실적인 생각에 동의를 하고 복지관에 들어갔습니다. 2~3년 잘 다니며 적응하나 했지만, 아침마다 안 가겠노라고 하는 아들과 매일을 싸우다 아들 뜻을 따 라주기로 하고 그만두게 했습니다.

이후 다시 집에서 나름 규칙적으로 오전에는 책 대여점에서 한권 의 책을 빌려 컴퓨터에 옮겨 적으며 시간을 보내고, 오후에는 뒷동 산을 다녀오는 하루를 보내며 생활을 했습니다. 그렇게 보내다가 2014년 아들이 자기 방이 어디냐고 하더니 뒷동산에서 집을 찾아 오지 못하는 일이 벌어졌습니다. 다시 그날을 생각하려니 가슴이 조여와 생략하렵니다.

망막박리라는 진단을 받은 아들은 두 눈을 두 번에 걸쳐 수술 을 했고, 결국 한쪽 눈은 잃어버리고 한쪽 눈도 어느 만큼 보이 는지 가늠할 수가 없습니다. 그 후로 어미와 아들은 껌딱지가 된 일상을 보내기 시작하였습니다. 또 하나의 큰 터널을 지나고 보니, 무엇을 어떻게 해줄까가 아니라 어미 옆에 있고 오늘도 만질 수 있다는 그 하나로 감사하고 사랑할 수밖에 없답니다.

아들이 무엇인가를 하기 바라기보다는 아들이 살아갈 수 있는 길을 열어주려다 보니 나라에서 주는 연금이라도 받게 하려고 문을 두드렸습니다. 그러자 장애 진단을 다시 받을 것을 요합니 다. 허나 아들은 두 번의 눈 수술로 병원을 거부하기에 진단을 포기하나 싶을 때 딸랑구의 노력으로 상담 선생님이 방문해주시기 시작했지요. 아들에게는 의사라는 사실을 숨기고 시작했는데, 선생님도 쌍둥이라기에 아들에게는 쌍둥이 형이랍니다. 선생님이 매월 한 번씩 방문하여 지난해 9월 재등급 신청을 했고, 11월에 등급을 받아 장애연금 신청을 했는데 아직 입금되지는 않았지만 1월 20일 경에 처음 입금될 것 같습니다. 장장 2년여에 걸친 노력 끝에 말입니다.

이렇게 어미가 이 세상에 없을 때를 대비하여 하나하나 아들의 삶의 길을 만들어가면서 매 순간을 소중하게 사랑하려고 합니다. 물론 때때로 참으로 힘겨울 때도 있습니다. 힘겨울 때면 수녀님이 해준 말을 되뇌입니다.

"하느님이 사랑하는 아들을 누구에게 보내야 사랑받으며 클 수 있을까? 고민고민 하다가 조옥화를 선택하여 보내심은 사랑을 믿어서라고 힘내세요."

부족하지만 아들을 가슴 깊이 사랑하는 힘이 되곤 합니다. 그리고 페친님들의 따뜻한 마음의 응원이 주저앉지 않게 해주는 마법이랍니다~

쓸 데

"주상전하 납시오~"

아침밥을 먹으면서 입고 있던 잠옷 바지를 벗기라며 아들이 하는 소리입니다. 어미가 장단을 맞춰줍니다.

"아이고 예예~ 전하, 엉덩이 한번 살짝 들어 주시고 다리를 조금만 아~ 예, 됐습니다. 에라이 못된 놈!"
"푸하하하~ 전하보고 못된 놈이 무엇인고~"

어미를 부리려고 그러는 게 아니라 아들의 응석이고 놀이라 생각하면서 따라주다가, 자리에서 일어나며 '아고 허리야~' 소리가 절로 터집니다. 못됐다니까 어미와 아들 관계는 그런 것이라고 하네요. ㅎㅎㅎ 어찌 됐든 아들 기분이 최상이니 무조건 "아~예예, 황송 무지로소이다." 했더니, "으이구~ 우리 엄마, 출발!" 합니다.

룰루랄라 뒷동산으로 출발합니다. 뒷동산을 오르면서 아들이 오늘이 17일, 17이 가면 18, 19, 20 하더니 아들의 월급날이라고 합니다. 연금 입금 예정 날인데 착오가 없기를 바라면서 "월급 나오면 어떻게 할 거야?" 물었습니다. 아들이 쓸 데가 많다고 하기에 어디에다 쓸 것이냐고 되물으니 우선 먹는 것부터 해결한다고 합니다. 해서, 먹는 건 어미가 다 해결해 주지 않느냐고 하는 순간 딸랑구에게 전화가 옵니다. 아들과의 대화를 전해주니까 아들이 어디에 어떻게 쓴다고 하는지 끝까지 들어야지, 첫마디부터 답을 하듯 자르면 아들 생각을 들을 수 없지 않느냐고 합니다. 딸랑구 말이 맞다 싶지만 이미 지나가버린 버스가 되었습니다. 통화를 끝낸 후 다시 아들 생각을 물었지만 들을 수가 없어 아들 손을 잡고 오릅니다. 아들이 말을 툭 던집니다.

"내 돈이니까 내 맘대로 저축도 하고 아껴 쓸 거야. 그러니까 엄마는 신경을 끄셔, 알았지?"
"엉, 알았어. 그래도 이따금 엄마 용돈 좀 부탁해~"

그러자 아들이 생각해 보겠노라고 합니다. 아직 나오지도 않은 연금으로 오늘도 자린고비 구두쇠가 조옥화 아들이라고 말하면서 추위에 흐르는 콧물을 닦아주었습니다.

0117

빈대떡

명절이라고 딸랑구가 하루 전날 왔습니다. 우선, 아들에게 오라비라 부르며 연금이 40만 원 입금이 되었노라고 말하고, 20만 원은 오라비 이름으로 적금 통장을 만들었노라고 합니다. 뿌듯해하며 경청하는 아들, 돈의 위력일까? 뭔지는 모르겠지만 새로운 힘이 느껴지는 아들을 바라보는 어미는 미소 가득입니다.

ㅎㅎ

아들 딸랑구를 앞세우고 뒷동산으로 출발합니다. 명절이라서인지 뒷동산은 한산합니다. 우리들만의 세상이 되어 즐기는 가운데, 점심은 뭘 먹을까 하다가 "일요일은 햄버거 먹는 날이지?" 합니다. 명절이라 햄버거를 살 수 있으려나 모르겠다고 아들에게 체크카드로 한 턱 내라 했습니다. 아들이 그러겠노라 해서 딸랑구랑 셋이 햄버거를 사러 가기로 하고는 한갓진 뒷동산 코스 놀이를 하고 집으로 돌아가는 길입니다.

주현미가 진행하는 라디오에서 빈대떡 신사 노래가 흘러나오자 어미랑 아들, 딸랑구가 따라서 흥얼거리는데 아들이 점심 메뉴로 빈대떡이 어떠냐고 묻습니다. 아무 생각 없이 있는 재료로 부침이나 해 먹을까 하다가 퍼뜩 이게 뭐지? 아들이 햄버거 쏘기로 했는데?? 졸지에 메뉴가 바뀌었습니다. ㅎㅎㅎ 어미가 아들에게 '아들 돈 안 쓰려고 빈대떡 먹자는 것이냐'고 물었습니다. 아들이 1초의 망설임도 없이 그렇다고 하네요. ㅎㅎㅎㅎ

오늘도 아들 돈은 나오려다 다시 숨어버리고, 딸랑구가 아들의 첫 연금 축하로 쏘겠노라고 하니 다시 햄버거를 먹겠다 하는 아들입니다. ㅎㅎㅎ 언제쯤 아들 주머니에서 돈이라는 것이 흘러나오려는지 궁금증이 어미를 미소 짓게 합니다.

0123

순둥순둥

  계속되는 추위에 골이 아플 만큼 날이 시리더니 머리도 얼어버렸
는지 글쓰기가 멈춰버렸습니다. 마흔하고도 네 살이 합해진 아들이
순둥순둥한 어린이처럼 사랑스러운 모습을 그냥 스쳐 지나가는 요
즈음입니다. 그러다가 불현듯 그리움처럼 아들 모습을 되돌려 하나
씩 그려보려 합니다.

  강추위에도 뒷동산 여행은 멈춰주지 않아 꽁꽁 싸매고 아들 손을
꼬옥 잡고 오르는데 어미에게 세뱃돈을 요구합니다. 해서 세배
도 안 했고 이제는 어미에게 용돈을 줘야 된다고 하니, 가던 길
멈춰 서서 두 손을 모아 이마에 대고는 반절을 하고는 손을 벌
립니다. 푸하하하 웃으며 장갑 낀 아들 손을 내리치며 "에라이~
천만 원이다!" 했습니다. ㅎㅎㅎ 그러자 아들도 어미 손을 내리
치면서 용돈 천 사백만 원이라고 합니다. ㅎㅎㅎ 너무 추워 아
무도 없는 뒷동산을 오르면서 어미와 아들은 큰 소리로 하하하
호호 웃다가 우리는 껌딱지 쌤쌤이랍니다.

  다시금 생각해도 미소 짓게 하는 아들이 오늘은 뒷동산을 오르다
가 몇몇의 사람들과 마주하는 가운데 이방원 아저씨를 만났습니
다. 반가운 지 5분 전 시간을 가리키듯 머리를 갸웃거리며 "뉘
시더라?" 하더니 많이 춥다고 하는 아저씨와 엇갈려 먼저 오릅
니다. 그런데 갑자기 아들이 어미 배낭에 있는 털목도리를 꺼내
되돌아가더니 이방원 아저씨 목에 걸어줍니다. 아저씨가 감동해
서 "괜찮은데~ 고마워." 하면서 어미를 보길래 '아들 마음이니

정상에서 주면 된다'고 했습니다. ㅎㅎㅎ

커피 타임을 기다려주면서 '추워서 아저씨들이 없나 보다' 하더니 한, 두 아저씨를 보며 추운데 감기 조심하라고 합니다. 그리고는 폼을 잡으며 여의봉을 휙휙 힘주어 무술을 한 다음, 좋은 날 되시고 내일 또 뵙겠노라고 인사를 합니다. 어미 손을 잡고 앞뒤로 휘두르면서 웃는 아들이 참으로 순둥한 어린 천사 같습니다.

그날 밤, 새벽녘에 잠에서 깨어 '어느 만큼 함께 할 수 있을까' 싶어 잠을 이루지 못했네요.

0127

2월

난리 부르스

이삼일간 어미와 아들은 톰과 제리처럼 아옹다옹, 오늘은 어쩌려나 마음을 졸이며 뒷동산으로 출발합니다. 로또와 새별이 나무를 지나 아들 혼자 데코로 만들어진 공터로 내려가 무술을 하고 어미와 다시 만나는 코스에서 이방원 아저씨를 만났습니다. 아저씨와 아들은 통하는 사이처럼 마주 보고 "뉘시더라?" 하고 아들은 "이방원 아저씨는 어제 왜 안 왔지?" 하더니 '난리 부르스였다'고 말을 덧붙입니다. 아저씨가 "나중에 한 번 보여줘." 합니다. ㅎㅎㅎ 통한 것 같지만 아들이 말한 난리 부르스는 어제 뒷동산에서 119 신고를 했던 상황을 말한 것이고, 아저씨는 아들이 신나게 춤추는 상황으로 듣고 부탁한 듯싶습니다. ㅎㅎㅎ

아들이 말한 어제의 난리 부르스는 뒷동산 정상에서 한 아저씨가 운동기구에 발목을 걸고 머리를 아래로 내려가게 하는 운동을 하다가 쿵! 떨어진 사고입니다. 한 아주머니가 상황을 어미가 있는 쪽을 향해 알렸고, 모두들 그쪽으로 달려가 사고 난 아저씨를 살피며 119 신고를 하라고 합니다. 어미가 손에 들고 있던 핸드폰으로 신고를 하자, 119 구조가 도착할 때까지 전화를 받아 달라고 합니다. 순간 어미는 덜컹, 아들이 가버리면 어쩌나 싶어서 아들에게 상황을 설명하는데, 쓰러졌던 아저씨가 어미와 아들을 바라봅니다. 아저씨께 정신이 드느냐 묻고 우리 아들을 아느냐고 물으니 안다고 하며 119 신고는 취소하라고 합니다. 그사이 119와 몇 번 전화 통화를 하면서 사고 난 아저씨의 전화번호를 119에 전해주고 상황은 정리가 되었습니다.

아들이 이방원 아저씨에게 하고 싶었던 어제의 이야기를 정상 커피 타임에서 알게 된 이방원 아저씨, 어미에게 '아들이 말한 난리 부르스가 그거였구나' 합니다. ㅎㅎㅎ 어제 함께 했던 다른 아저씨는 어미 아들이 다쳤다는 줄 알았노라고 하네요. ㅎㅎㅎ 다시 한번 따뜻한 정겨움을 저장합니다.

0202

피자 탕탕

"엄마아~ 오늘 점심은 피자 먹자아~"

아들의 주문에 어미가 한국식 피자 부침이를 해주겠노라고 하니까 대답 없이 어미를 멀뚱멀뚱 쳐다봅니다. 그런 아들이랑 마주 보다가 알았노라고, 딸랑구에게 주문을 하라 해야겠다면서 아들이 쏘는 것이냐고 했더니 "그래야지, 뭐. 내가 사야지." 합니다.

"오, 드디어 아들 주머니에서 돈이 나온다고?! 맘 변하기 전에 소문내야지~ ㅎㅎㅎ"

"어이구~ 소문은 무슨~"

뒷동산을 오르면서 아들 목소리에 힘이 들어갑니다. 점심은 피자라고 강조를 하기에 아들이 쏘는 것이 맞느냐고 재확인을 하니까, "맨날 동생이 사는데 한 번쯤은 사야지~" 하네요. 딸랑구에게 주문하라고 했더니 눈치 백단인 아들이 선수를 친 듯합니다. 아무튼 확인 사살하듯 딸랑구에게 전화를 걸어 아들에게 넘겼습니다. "오늘 점심 피자 시켜줘, 너 통장 헐어라." 하고는 어미를 바꿔줍니다. 딸랑구가 무슨 소리냐기에, 딸랑구가 아들 통장을 관리하니까 한 소리라고 했습니다. ㅎㅎㅎ

뒷동산 코스 놀이를 하면서 의기양양한 아들은 "오늘 점심은 뭐지?" 하며 몇 번을 확인시킵니다. ㅎㅎㅎ 돈의 위력이 아들을 으스대게 만듭니다. 집으로 돌아와 다른때보다 맛있는 피자를 먹으며 "피자가 왜 이렇게 맛있어~?" 물으니, "맛있게 먹었으니 됐지, 뭐."라고 답합니다. 다음에 또 쏘라고 하니 아들이 알겠다고 하네요. 다 먹고 나서 이제 어미는 게임을 한다니까 아마 잘 될 거라고 합니다. 오늘은 하루종일 목에 힘이 들어갈 것 같네요~

어미는 영원할 것

　뒷동산으로 출발하는데, 아파트에 어르신들을 모셔가는 차량에 할머니가 오르는 모습을 보더니 아들도 어른이라고 합니다. 어른이 맞다고 답해주면서 "아들이 할아버지가 되면….." 하고 머뭇거리다 어미는 이 세상에 없을 것 같다고 하니까 아니라고 합니다. 죽음에 별 의미를 두지 않던 아들이 오늘은 죽음을 인정하려 하지 않고 어미는 영원할 것이라고 하더니, 마주하는 아저씨께 "우리 엄마 백발이지만 예쁘죠?" 하고 뚱딴지같은 소리를 합니다. ㅎㅎㅎ 아저씨가 당황스러운 듯 웃으며 운동을 아주 열심히 한다면서 지나칩니다. 어미가 예쁘다는 소리를 하지도, 인정하지도 않던 아들이 어쩌다 벌어진 상황을 무마하려는 잔꾀에 미소가 절로 나옵니다. 어미가 애쓰지 않아도 된다고 하니까, 푸하하하 웃으면서 마초(말)가 되었다며 뛰어갑니다. 묘한 기분으로 아들 뒤를 따르는데 딸랑구에게 전화가 옵니다. "어디야~?" 하는 딸랑구에게 로또와 새별이 나무를 지났다고 답해주고, 어젯밤 테라플루를 마시고 잤더니 온몸에 힘이 빠져 어미도 모르게 끙끙 앓는 소리를 내고 있었다고 말해줍니다. 아들 잠자리를 챙겨야 하는데 머리는 깨어 있어도 몸이 말을 안 들어 한 시간 더 잠속으로 빠졌다가 일어나 봐준 다음, 다시 자고 일어나 지금은 괜찮다고 했더니 어미 몸이 매일을 긴장 속에 있다 풀려서 그런 것 같다며 지금 괜찮으니 다행이라고 합니다.

　오늘도 아들 딸랑구의 다른 세상 여행을 하면서 앞서가다 기다리고 있는 아들 손을 잡고 뒷동산 코스 놀이를 합니다. 오르면서 마주하는 사람들과 인사를 나누고, 때론 인사를 거부하는 아들 대신 어미가 미안한 마음을 전하면서 정상에 다다르면 아들은 커피 아저씨들의 호응을 받아 신나게 무술 공연을 합니다. 그러고 나면 아들 맘에 남아 있는 응어리 같은 게 빠져나간 듯 룰루랄라 기분 좋은 하산 길이 되지요. 집으로 돌아와 샤워를 하고 나온 아들이 묻습니다.

"엄마 죽으면 어디에다 묻어줄까?"

어미는 벙쪄서 "으응! 아~ 화장해서 로또와 새별이가 있는 나무에 뿌려줘." 했더니 아들은 아무런 답 없이 세상은 지금도 흘러가고 있다면서 여의봉 작업으로 빠져듭니다.

0206

여의봉 친구

난방비를 아끼는 전략으로 보일러 작동을 자동이 아닌 수동으로 하는 우리 집에서 어미는 24시간 깨어 있어야 하는 상황입니다. 허나, 깨진 항아리에 물 붓기처럼 가스비 대신 전기 히터를 이용하니 눈 감고 아웅이지요. 어찌 됐든 꾀를 부려가며 한겨울을 따뜻하게 보내려니 한밤중에 아들 잠자리를 두세 번 챙기는데, 새벽녘에 아들 방문을 살그머니 열고 들어서자 문 뒤에서 아들이 어미를 밀어냅니다. 아니, 안 자고 뭐하는 걸까 싶지만 이불 잘 덮고 자라는 당부를 했습니다. 아들은 여의봉 작업한 것을 밤이면 아들 방문 뒤에 옮겨놓고, 아침이면 다시 거실 한쪽 자리로 옮겼다가 밥을 먹을 땐 식탁으로 옮기곤 합니다. 죽어 있는 나무 지팡이가 아들 손에 의해 열두 동물 그림을 붙여 원숭이띠인 아들의 손오공 여의봉이 되지요. 여의봉은 아들에게 살아 있는 생명체가 되어 밤이면 아들과 함께 잠을 잤다가 이리저리 옮겨집니다. 그런데 새벽녘에 깨어서 문 뒤 여의봉을 만지고 있는 순간, 어미가 아들 잠자리를 보려고 문을 열었다가 밀려난 것입니다.

아침에 일어난 아들이 어미에게 잘 잤느냐고 아침 인사를 하면서 여의봉들도 아주 잘 잤다고 합니다. 이 세상 모든 물체와 살아있는 생명체는 물론, 죽어있는 물체도 때론 좋은 친구가 되어 마음을 주는 아들입니다.

오늘도 여지없이 뒷동산으로 출발하는 어미와 아들, 사람들과의 소통보다는 까치와 까마귀, 청설모, 길양이들과 인사를 하며 오릅니다. 열두 동물 이야기로 시작된 아들의 수다는 세월 놀이로 옮겨졌는가 하더니, 아들이 어제 만난 언니(젊은 새댁)들이 안 보인다고 합니다. 여러 번 만나는 과정에서 아들 편이 되어 박수와 미소까지 보내주었으니 아들의 기다림은 당연한 거겠지요. ㅎㅎㅎ 예쁜 사람이 없다고 툴툴거리는 아들 앞에 아저씨 세 분과 아주머니들이 반갑다는 인사를 하면서 공연을 볼 수 있느냐고 아들에게 묻습니다. 아들이 머리를 끄덕이고는 신나게 "자, 축, 인, 묘~"를 큰소리로 외치면서 휙휙 휘두르는 여의봉에 힘이 들어가고 다리까지 멋지게 뻗어주면서 토끼날이라고 토끼 춤으로 마무리합니다. 박수와 최고라고 엄지 척까지 해주니 아들이 좋아하며 "좋은 날 되세요. 내일은 용, 드라고 우리 엄마의 날이니 많이 사랑해주세요~" 덧붙임 인사까지 하고는 어미 손을 잡으며 가자고 합니다. 으쓱해하는 아들의 손을 맞잡으면서 어미도 고마움을 전합니다.

"고맙습니다."

0214

사는 게 다 그런 거지

"오늘은 많이 추울 텐데~" 하면서 옷을 따뜻하게 챙겨 입고 출발하자고 하는 아들이랑 두런두런 추억 만들기를 합니다. 별 부대낌 없기를 바라며 아들의 세월 놀이와 열두 동물 이야기를 대충대충 들어주고 답해주며 추운 만큼 흐르는 콧물을 닦아주니, "엄마는 참 바쁘다."며 "사는 게 다 그런 거지, 뭐." 하더니 "행복하다~ 생각하고 살자." 합니다. 푸하하하~ 빵 터져서 웃는 어미를 보며 같이 웃던 아들이 "북 치고 장구 치고 다하지." 합니다. "어이구, 아들아~ 말을 말아야지." 하니 "왜에~ 내 말이 틀렸어?" 하는 아들 손을 꼬옥 잡고, 맞는 말만 한다고 답해주며 어여 가자고 했더니 피식피식 웃으면서 "잘난 아들 덕에 우리 엄마는 행복한 거야~" 합니다. ㅎㅎㅎ 무슨 말이 더 필요할까요, "정말로 잘났어~" 하며 가던 길 멈추고 그냥 꼬옥 안아줬습니다.

웃음꽃이 만발한 뒷동산 코스 놀이 중 정상에서 차를 마시고 계단 아래 또 다른 정자까지 아들은 혼자 돌고 어미는 위에서 아들을 주시하며 기다리는 놀이를 합니다. 헌데, 아들이 정자에서 누군가와 함께 어미를 쳐다보는가 싶더니 어미를 부릅니다. 아주 오랜만에 동갑내기 친구를 만났습니다. 아들과 체인지해서 그동안 못한 수다로 회포를 푸는데 정상에서 아들이 손짓하며 이제 그만 오라고 어미를 부릅니다. 또 만나자는 인사를 하고 아들을 향해 계단 길을 영치기하며 올라오니, 커피 아저씨들이 어미 장단이 없어서 박수가 빠졌다고 합니다. ㅎㅎㅎ 아저씨들, 아들이 어미 없이 휘리릭 가버릴까 봐 수를 쓴 듯합니다. 어미와 아들은 합체가 되어 "자축인묘 진사오미 신유술해~" 외칩니다. 여의봉을 휙휙 바람 소리가 나도록 힘주어 무술을 하는 아들에게 아저씨들의 추임새까지 더해져 멋진 공연이 되었습니다. 뒷동산의 연예인 승현이 최고로 멋지다~

  & 두 번째 연금이 입금됨을 딸랄구가 아들에게 말해 준 것 같은데 시침 뚝 떼고 있기에 동생이 뭐라고 하더냐고 물었지만, 싱글싱글 웃기만 하면서 답을 안 하는 아들. 속셈이 보입니다. ㅎㅎㅎㅎ

0221

오랜만의 제사

아들이 2월이 시작되는 날부터 할아버지 제사는 모시느냐고 하기에 모르는 척 "제사가 있나~?" 했더니, 장손이라 아들 머릿속에 저장되어 있다며 그동안 코로난지 뭐시기 때문에 그냥 넘어가지 않았느냐고 하면서 며느리 자격 미달이라고 합니다. ㅎㅎㅎ

5형제의 첫째라는 자리가 주는 맛은 온갖 맛을 다 느낄 수 있었는데, 타고난 복이라 거역할 수 없는 선택이려니 생각하면서 미소 가득입니다. 코로나로 그동안 모이지 못했던 조상들 제사 모임을 형제들과 한 분 살아계신 작은 아버님이 모여 아버님 제사를 모시기로 했습니다. 헌데, 아들의 두 번에 걸친 눈 수술 이후부터 때마다 모여 북적거리던 30여 명의 다섯 가족들이 각자의 집에서 보내기로 했지요. 그러다 보니 이번에도 며느리들은 참여하지 않는다는 통보와 어미와 아들 뒷동산 놀이를 건너뛸 수 없다는 핑계로 딸랑구가 제사음식 전문점을 찾아내어 주문하자는 의견을 못 이기는 척 '그래도 되려나?' 하며 따라갑니다. ㅎㅎㅎ 나이 먹으니 느는 건 꾀뿐인 것 같은 스스로를 타박하면서 젯상을 받고 보니 정갈하고 푸짐하여 며느리들보다 훨씬 좋은 최고의 제사상이라고 스스로 다하지 못함을 포장했습니다.

시간이 되니 아들은 할아버지 영정 사진을 상 위에 갖다 놓습니다. 생각도 못했는데 이 또한 아들이 놓치지 않아 꽉 채워준 제사상에 미소와 뿌듯함이 번집니다. 셋째 동서가 와서 딸랑구와 어미의 힘을 조금 덜었으니 참 좋은 하루였습니다.

참, 하나 더. 막내 삼촌(시동생)이 돌아가면서 형수님 용돈이라며 두툼한 봉투를 받아 부자가 되는, 이 또한 감사고 행복입니다. 그렇게 한 것 없이 보낸 거 같은데 이틀을 몸살로 끙끙거리며 뒷동산을 오르자, 아들이 영치기하라고 힘을 줍니다.

0226

3월

삼겹살 데이

커피 타임에서 3월 3일은 삼겹살 데이라고 아들에게 말해주니 아들 생각을 주장하고 싶은지 3월 3일이 아니고 3월 4일이라고 반박을 합니다. 그런데 3일인 오늘 아침, 아들이 아버지에게 "아버지, 저녁은 불고기 파티하자."고 합니다. 아버지가 아들이 쏠 것이냐고 되물으니 이방원 아저씨가 쏠 것이라고 하네요. ㅎㅎㅎ 3월 3일은 삼겹살 데이라고 했으니 말한 사람이 쏘는 것이라고 생각하나 봅니다. ㅎㅎㅎ

뒷동산 중턱에서 이방원 아저씨를 만났지만 시침 뚝 떼고 "누구시더라~?" 하는 아들 뒤에서 아침에 있었던 일을 전해주니 허허허 웃으면서 '갈수록 말만 잘 한다'고 합니다.

하나 더, 코스 놀이를 마치고 집으로 향하는데 아들 또래의 예쁜 두 새댁을 오랜만에 만나서 아들은 의기양양 무술 공연을 힘주어 보여주며 좋아라 합니다. 어미가 지난해에 쓴 글을 모아 엮은 책을 전해준 바 있었는데, 그 소감을 들으며 어미가 이 세상에 없을 때에도 아들은 여전히 뒷동산을 오를 것이니 그때 모른 척 외면하지 말고 챙겨주길 바란다는 말을 전했습니다. 왠지 뻥 뚫리는 마음으로 아들 손을 잡고 말없이 한참을 내려오는데 아들이 말합니다.

"엄마, 죽는다는 소리 다신 하지 마~"

1년

 오늘은 쌍둥이 형아(상담 선생님)가 오는 날입니다. 3월 시작부터 쌍둥이 형아가 언제 오느냐고 챙기더니 오늘은 평상시보다 일찍 하루를 시작합니다. 그런 아들의 시간을 느리게 늘려보려고 딴 짓을 해봅니다. 아침상에 밥을 빼놓는가 하면, 컴퓨터로 유인해서 컴퓨터를 하나 했더니만 어느새 종료하고 형아 여의봉까지 챙겨 들고 "가자아~"합니다.

 결국 약속 시간보다 20여 분 일찍 아파트 현관을 나서자, 선생님이 눈에 들어옵니다. 반갑게 인사를 나누고 출발하려는데, 오늘이 마지막 날이라고 어미가 말해준 것이 화근이 되어 아들이 형아에게 발끈합니다. 아들은 툴툴거리며 힘든 계단 길로 가자 심술을 떱니다. 어떻게든 아들의 생각을 바꿔줘야 하는데 어떡하나 상황을 엿보는데, 건너편에 유치원생 여러 명이 차를 기다리고 있는 모습을 보고 아들이 "꼬마들이 많이 모여 있네~" 합니다. 기회다 싶어 아들에게 공연을 하자며 아이들 앞에 가서 어미가 "삼촌의 무술을 한 번 봐 주세요~" 청했습니다. 아들은 신이 나서 자축인묘~ 여의봉을 휙휙 힘 있게 휘두르고, 어미는 박수를 유인하면서 아들의 기분을 전환시켰습니다.

 결국 계단 길이 아닌 늘 다니는 코스로 발길을 돌려 뒷동산으로 출발합니다. 헌데, 선생님의 마지막 날이 다시 걸림돌이 되었습니다. 다음에는 선생님이 일하는 곳으로 오기를 청하지, 아들이 뿔이 나서는 형아도 아닌 '너'라고 칭하며, 다음에도 오라고 목소리가 더

커집니다. 조금의 텀을 두고 방향을 점심으로 틀어봅니다. 그런데 선생님이 진료가 있어 안 된다며 12시에는 출발을 해야 한다고 하네요. 이른 점심을 부탁하면서 아들에게 한 턱 쏠 것이냐고 물으니 조금 생각해 보겠노라고 답합니다. 그러더니 조금 누그러진 아들이 형아 곁으로 가 '점심은 뭘 먹을까' 묻습니다. 어미는 아들이 한 턱 낼 거냐고 다시 물으니 그러겠노라고 답을 하는 아들. 결국 형아는 아들에게 잡혔습니다. ㅎㅎㅎ

뒷동산 코스 놀이를 끝내고 집으로 들어서니 딸랑구도 와 있어 아들이 한 턱 쏘기로 한 피자로 이른 점심을 했습니다. 아들이 피자를 먹은 다음, 선생님께 밥 먹었으니 이제 그만 가라고 합니다. 으이구~ 딸랑구와 함께 선생님 배웅을 하고 돌아오니 "너도 이제 가아~!" 하며 소리가 커진 아들. 선생님과의 마지막이라는 서운함을 동생에게 푸는 것 같습니다. 추석에는 아들이 선생님께 가겠노라는 약속을 했는데 이루어지기를 바라봅니다.

아들의 연금 신청을 위한 준비 과정에서 등급을 다시 받아야 하는데, 임상 심리평가와 진단서가 필요해 길이 막혔었지요. 딸랑구가 길을 찾아 애쓰는 중도에 좋은 선생님을 만나 1년을 찾아주신 선생님 덕분에 1월부터 연금을 받기 시작했고, 아들의 또 다른 모습을 보면서 내일의 희망을 볼 수 있었습니다. 그래서 어미는 마음에서 소리쳐 봅니다. 세상은 살 만하다고~!

솔깃

오늘도 여지없이 뒷동산을 오르면서 아들이 쌍둥이 형은 미국에 잘 갔다고 하느냐고 묻습니다. "웬 미국?" 되물으면서 어미 기억 안에 있는 선생님을 소환하여 더듬어 봅니다. 그제야 쌍둥이인 선생님 형이 외국에 살고 있다고 했던 말이 생각이 납니다.

"아들, 외국에는 쌍둥이 형의 형아가 산다고 했지이~ 형아는 오후에 진료(아픈 사람)가 있어서 병원으로 간 거야. 다음에 형아 보고 싶으면 병원 주차장으로 가서 형아보고 나오라고 전화를 하면 될 것 같은데~"

병원에 대한 트라우마가 있는 아들이 '그런 방법이 있구나' 하더니, 좀 더 깊이 생각을 해보겠노라고 합니다. 선생님과의 만남은 좋은데 선생님이 아들에게 병원으로 놀러 오라니까 추석으로 약속을 밀어 놓고는 형아가 없으니 어미에게 안 갈 것이라고 하는 아들. 병원이라는 형아의 일터가 아들 발목을 잡는 것 같았는데 병원 주차장이라는 말에 솔깃한 아들에게 기대를 하면서, 뒷동산 놀이에 동참하는 오늘도 자알 살았습니다.

0309

어떤 배려

정상 정자 안으로 들어가면서 건너편을 향해 어미가 "안녕하세요~" 인사를 건네는데, 늘 옳은 말만 하시는 아저씨가 "아들이 인사를 해야지~" 합니다. 이에 아들이 "우리 엄마가 인사를 하면 됐지, 나까지 하라고?!" 하면서 뿔이 났습니다. 차를 마신 다음 아들홀로 코스를 갔다 와서는 아저씨에게 가서 "박수~!!"를 외칩니다. 어미가 아들에게로 황급히 다가가 인사부터 하라고 말해주며 어미도 함께 인사를 합니다.

"안녕하세요~ 박수를 부탁합니다~"

삐그덕거렸지만 그런대로 무술과 끝맺음에 어미가 '죄송합니다'를 덧붙여 인사를 하고 자리를 떴습니다. 헌데, 아들이 왜 어미가 죄송하다고 하느냐며 그러지 말라고 합니다. 아들이 함부로 말을 해버리니까 어미가 죄송하다고 하는 것이라고 했더니, 어른이 어른답지 않아서라는 궤변에 어미가 손을 들었습니다. 그러려니 이해해주는 억지 춘향격으로 어우러짐에 감사하며 집으로 돌아갑니다.

뒷동산을 오를 때보다는 한결 부드러운 분위기로 데코길을 돌아 돌아 내려가는 도중에 초등학생들이 선생님과 모여 쉬고 있습니다. 아들 입이 씨익 벌어지고, 어미 손을 슬그머니 놓더니 여의봉을 바꿔 쥐며 빠르게 걸음을 걷습니다. 그런 아들 마음을 알아채고 어미도 재빠르게 아들 곁에 섰지요. 우선 선생님께 양해를 구한 다음 아이들에게 "여러분, 우리 아들인데 어린이들한테는 삼촌뻘이 될 거예요. 무술하는 삼촌 공연을 관람해 주세요~" 하니 의아한 표정으로 아들을 바라봅니다. 아들은 신이 나서 힘 있게 여의봉을 휘두르더니 드라고(용)의 날이라고 '화르르'(용이 불을 내 뿜는 소리) 하더니 "좋은 날 돼야 돼~" 합니다. 어미는 박수를 유도하고 아들은 휘리릭 앞서갑니다.

어미가 선생님께 "우리 아들이 지적 장애인입니다. 의아해하는 아이들에게 설명해 주세요. 배려해 주셔서 고맙습니다." 하고는 아들을 향해 자리를 뜨자마자 선생님이 바로 "지적 장애가 있어서~" 설명하는 소리가 들려옵니다. '조금만 텀을 두고 설명을 했다면~' 하는 아쉬움과 씁쓸함을 느끼는데, 소머즈 귀를 닮은 아들이 "지적 장애라는 말은 안 했지?" 하고 어미에게 물어옵니다. 아니라고 부정하고는 아들 손을 꼬옥 잡고 큰 소리로 "엄마 아들 고승현, 하늘 땅 만큼 사랑해!" 했더니 너무 큰 소리라며 어미 입을 막습니다.

아들 손으로 하늘을 가리지 못하는 것처럼 어미가 사랑하는 마음도 막을 수가 없다고 하면서 오늘 하루도 잘 살았습니다.

0313

통 큰 아들

어스름한 겨울 아침이 지나고 따사로운 햇살이 내리쬐는 봄의 아침, 아들의 하루 시작도 한 시간 빨라지고 어미의 시작은 그 대로입니다. 그러다 보니 어미의 아침은 틈이 없이 분주하게 돌아갑니다. 왔다리갔다리 두 번의 아침상을 차리면서 아들이 작업한 열두 동물을 사진에 담고, 뒷동산에서 아들이 마실 차를 준비하면 "가자아~" 하는 아들 명에 따라 현관문을 나섭니다.

헌데, 아들이 전자시계를 안 챙겼다고 해서 다시 들어가 챙겨들고 엘리베이터를 타고 보니, 이번엔 어미 여의봉이 없다고 합니다. 먼저 내려가라고 이르고는 다시 집으로 들어가 여의봉을 들고나오자, 아들이 엘리베이터 열림 버튼을 누르고 기다리고 있습니다. 아침 시간이라 먼저 내려가라 했다니까 이미 출근 시간은 지나갔다며 얼른 타기나 하랍니다. ㅎㅎㅎ 아파트를 돌아 경비실 앞에서 아들을 다시 만나는데 아들 목에 두건이 없습니다. 오늘은 돼지(찡찡이)의 날이라며 찡찡이가 삐친다며 다시 집으로 돌아갑니다.

목두건까지 챙겨 들고 드디어 뒷동산으로 출발합니다. 뒷동산을 오르면서 아들 왈, "엄마와 아들이 건망증 때문에 왔다리 갔다리를 계속했지만 이것이 행복이고 인생이란 거야, 엄마. 그치이~?" 합니다. 말은 청산유수라고 엄지 척을 해주면서 코스 놀이를 하는데 점심은 뭘 먹을까 하다가 족발을 쏘겠노라며 술 없는 안주를 한 번 찐하게 먹자고 합니다. "아들이 쏜다고? 고뤠

애~? 그럼 술 대신 우유로 짠하자!"며 환호했습니다. 정상에 도착해서 아들에게 차를 건네며 건너편 아저씨들께 아들이 족발을 쏘기로 했다고 자랑하겠노라니까 아들이 "그러다 우리 집으로 다 몰려오면 어떡해~" 합니다. 그래도 그 말까지 자랑하고 싶다니까 못 말리는 어미라며 맘대로 하라네요. ㅎㅎㅎ "선생님들~ 오늘 우리 아들이 족발을 쏘기로 했다고 자랑한다니까 선생님들이 우리 집에 오면 어떡하냐고 하네요~" 허허허 하하하 여기저기서 웃으며 12시까지 다 몰려갈 테니 족발 2개에 보쌈까지 부탁한다고 합니다. 아들, 피식 웃으며 우리 집이 어딘지 모르지 않느냐더니 어미에게 알려주라고 합니다. 역시 통 큰아들이라면서 멋진 아들 덕분에 어미는 행복 만땅입니다.

0318

수호천사

오늘도 여지없이 뒷동산으로 출발합니다. 세월 놀이와 코스 놀이를 하면서 정상에 다다랐는데 이방원 아저씨가 내려옵니다. 아들은 씨익 웃으면서 어디를 가느냐고 묻고, 아저씨는 일찍 올라온 데다가 약속이 있어 집으로 가는 중이라고 합니다. 아들이 벙쪄서는 그럼 박수 장단은 어떻게 하느냐며 길을 막으니, 아저씨가 발길을 돌리면서 아들 공연을 먼저 보자고 합니다. 아들은 순서가 뒤바뀌니 아저씨가 기다려주길 원하고, 아저씨는 약속 때문에 아니 된다며 내일을 기약합니다. 허나 아들이 놔주지를 않으니 다시 아들에게 무술 공연을 먼저 하자고 협상하고는 아들 손을 잡고 되돌아 올라갑니다.

커피 아저씨들께 "박수~!"를 큰 소리로 유도하고 아들은 신이 나서 여이봉에서 휙휙~ 바람 소리가 나도록 힘주어 무술을 하고, 어미는 자축인묘 추임새를 넣으며 한바탕 잘 놀았습니다. 그렇게 이방원 아저씨는 하산을 하고, 아들은 우리의 장소 정자로 들어가 차를 마시고, 어미는 건너편으로 건너가 타주는 커피를 받아들었습니다. 헌데, 장교로 군 생활을 했다는 아저씨가 "아들이 꼬장을 부려서 늦었느냐고 한번 혼쭐을 내줄까?" 합니다. 손사래를 치며 아니라고, 어떤 방법으로 할 수 있음이 아닌 것 같다고 답을 하는데 다른 아저씨 왈, "답이 있으면 벌써 했겠지." 합니다. 그러자 또 다른 아저씨가 '어미가 언제까지 함께 살 수 있는 것도 아니니 혼자 살아갈 수 있는 길을 만들어 줘야 되지 않을까' 합니다.

　여러 이야기를 듣다가 어미가 길게 답했습니다. 지금이 있기까지를 이야기하고, 이 세상 모든 사람처럼 세상 대열에 맞서 일하며 대응하면 좋겠지만, 띵가띵가 호의호식하며 놀며 즐기는 사람도 있는 것처럼 어미가 없는 세상에선 또 다른 사람의 손길을 받으며 살지 않을까요? 집에서 새는 바가지 밖에서도 새듯이 어미로부터 받은 사랑이 모두로부터 따뜻한 눈과 마음이 아들에게 향하리라고 믿고 싶지요. 죽어서도 아들 곁에서 보호막이 되는 수호천사로 붙어 있을 거라는 엉뚱한 발언을 하며 아들에게 향하는데 가슴이 먹먹해집니다.

　집으로 내려가는 중, 정상 옆 코스에서 아들은 무술을 하며 호랑이 날이라고 어흥 소리로 마무리하고는 철봉으로 향합니다. 그사이 어미는 지난주에 2022년도 봉화산행기를 읽은 아주머니, 아저씨와 잠깐의 시간을 가져 봅니다. 아저씨는 '아들 말대로 뒷동산이 최고로 좋다' 하고, 아주머니는 '엄마가 아들을 운동시키는 줄 알았는데, 아들이 엄마를 운동하게 하는 거였다'며, '늘 만나는 사람의 이야기라서인지 단숨에 술술 다 읽었노라'며 글을 참 잘 썼다는 칭찬을 받다 보니, 조금 전 커피 아저씨들과의 이야기가 주던 먹먹함이 슬그머니 도망쳤습니다. ㅎㅎㅎ 칭찬이 고래를 춤추게 하듯이 어미 마음의 요동도 잠재워주며 힘을 얻는 기분 좋은 말이었습니다.

오늘도 이렇게 하루를 살아내고 있습니다.

0321

이런 아들

아들이 현관문을 열면서 '안녕, 하지 마세요' 푯말을 목에 걸며 최고의 무기라고 합니다. 아니, 엄마랑 인사를 하는데 왜 아들이 하지 마라를 하냐니까 어찌 됐든 출발이나 하자고 합니다. "ㅎㅎㅎ 말문이 막혔네~ 엄마가 승!" 했더니 나쁜 어미라고 어미를 치면서 아파트를 나서는데 쌀쌀한 날씨가 몸을 움츠리게 합니다. 아들이 얼어 죽겠다면서 옷을 여미며 더 입을 것이 없느냐기에 배낭에서 점퍼를 꺼내 입혀주니 역시 우리 엄마 최고라고 엄지 척을 해준 다음, 룰루랄라 뒷동산으로 출발합니다.

헌데, 아들이 마주친 한 아저씨께 "안녕하세요~" 인사를 합니다. ㅎㅎㅎ 안녕하지 말라고 푯말을 걸었으면서 왜 아들이 먼저 인사를 하냐고 하니까 아차 싶은지 푯말을 내려다 봅니다. 다행히 추워서 덧입은 옷 속에 푯말이 감춰진 사실을 알고는 아들이 휴우~ 다행이라며 푯말을 벗어 어미 배낭 속으로 휘리릭 넣어 버립니다.

룰루랄라 다시 뒷동산을 오르는데, 아들이 느닷없이 "엄마가 죽으면 거하게 장사 치러줄게." 합니다. 옆에 있을 때 잘 하지, 뚱딴지 같이 웬 장사냐니까 살아 있을 때 잘 하는 건 도리고, 세상 하직을 할 때를 말함이라고 하기에, "아~ 예예! 잘 부탁합니다~" 하면서 아들 손을 꼬옥 잡고 걱정 붙들어 매겠노라고 했습니다. 그러다가 아들이 새로 시작한 주말 연속극 '진짜가 나타났다' 이야기를 해준다며 태경이가 남자 주인공 이름이라더니

강부자는 외할머니라고 합니다. 그러면서 태경이 여친이~ 하다
가는 다음 주에는 3회를 봐야 된다더니 그다음엔 4, 5, 6, 7,
20까지 가길래 몇 부작이냐고 물으니 모르겠노라며 점심 먹고
나서는 광개토태왕 8부를 틀어 달라고 합니다. 알았노라고 답하
면서 일일 연속극 '마녀의 게임'은 보여줄 거냐고 물으니 안 보
여준다고 합니다. 어미가 안 보던 드라마를 아들이 보게 해서
봤는데 이제 안 보여준다면 어떡하냐면서, 그럼 어미도 광개토
태왕을 안 틀어 주겠노라고 심통을 부렸습니다.

어미와 아들, 둘 다 심통이 나서는 따로 국밥이 되어 뒷동산 놀
이를 합니다. 커피 아저씨들 앞에서 무술을 하고, 아들 혼자 집으로
내려가는 뒤를 말없이 따라가는데 아들이 슬그머니 어미 손을 잡습
니다.

"엄마는 행운인 줄 알아."
"왜?"

아들은 집 근처에 있는 중국집 문을 열었는지 확인을 하면서 난
데없이 오늘 점심을 쏘겠노라고 합니다. "오! 아들이 오늘 점심을
쏩니까? 어이구~ 우리 아들 엄마가 된 것이 행운 맞네요! 고마웡~"
하고 힘껏 안아주면서 최고의 아들이라 하며 일일 연속극도 부
탁한다고 했습니다. ㅎㅎ 오늘은 어미가 이겼을까요? 아들이 목
에 힘이 잔뜩 들어가서 하는 말. "이런 아들이 어디 있어?!" 합
니다.

0327

그대로를~

정상 커피타임을 즐기는 코스에서 한 아저씨, "아들 이름이 뭐지?" 하고 묻자 아들이 "고승현이다, 이놈아~" 합니다. 아들이 이유 없는 반항아처럼 불안불안한 그 순간이었으니~ 얼굴 표정이 변한 아저씨를 보고 어미가 중개에 나서서 "어른에게는 '고승현입니다' 해야지." 하자, "'입니다' 하는 거야." 한마디 합니다. 아들이 "입니다"를 하더니 휘리릭 가버립니다. 죄송한 마음을 전하고 아들에게로 가서는 차근차근 설명을 했더니 심술이 조금 풀린 아들, 잘못을 인정합니다. 해서, 아저씨께 사과를 하자고 되돌아가 어미가 "죄송합니다." 말을 하고 아들은 곁에서 머리를 숙여 인사를 한 다음 집으로 왔습니다.

헌데 저녁을 먹고 나서는 뒷동산을 안 가겠노라고 성질을 부리며 ㅇ발ㅇ발 거리며 툴툴거리기에 왜 뿔이 나서 난리냐고 하다보니, 뒷동산에서 있었던 일이 생각났습니다. 어미는 '아까는 아들이 잘못한 것'이라고 단호하게 말해주고는 못 들은 척 내버려뒀습니다. 그렇게 잘 넘어갔나 했는데 오늘 아침, 또다시 포악을 부립니다. "승현아, 뒷동산 다녀와서 동생이랑 ㅇㅇ(아들이 좋아하는 동생 친구)네 집에서 떡볶이 먹기로 했다는데, 아들이 ㅇㅇ에게 한 턱 내야지~" 했더니 조금 풀어진 듯 했지요.

허나, 뒷동산을 오르면서 마주하는 사람들에게 툴툴거리며 코스놀이를 하는 모양이 불안불안 합니다. 뒷동산 정자에서 아들 혼자하는 코스 놀이로 간 사이, 어미는 어제 그 아저씨께 상황을 설명하면서 순간순간의 잘못됨을 고치려 하지 마시라고 부탁했습니다. 아저씨 왈, 조금씩 가르쳐야 된다며 어제 다시 와서 사과를 하지 않았냐며 그렇게 변하는 거라 합니다. 잘못을 인정한다 해도 스스로를 용납하지 못하니까 그냥 매일 순조롭게 별일 없으면 그것으로 된 것이지 않겠느냐는 말 뒤에 덧붙여 말했습니다.

"우리 모두가 아는 평범한 일상을 알 것 같다면 마흔네 살이나 먹은 놈이 박수를 치라며 무술을 보여준다고 어린아이 같은 행동을 할까요? 그냥 그대로를 바라봐주고 인정해 주십시오. 죄송하고 고맙습니다."

아저씨들이 고개를 끄덕이며 알았노라 합니다. 헌데, 아들이 코스 놀이를 끝내고 어미 곁에 와서는 무술 공연을 안 한다며 그냥 가자 합니다. 아저씨들께 어미가 인사를 하고는 집으로 내려가면서 왜 공연을 안 하냐고 했더니, 할 수가 없다고 합니다.

풀리지 않은 숙제를 어떻게 하나 생각에 빠져 있는데 딸랑구가 출발한다는 전화가 옵니다. 딸랑구에게 아들 상황을 전했더니, 잘못을 인정은 하지만 어미에 의해서 사과한 그 자체가 자존심이 용납되지 않아 뿔이 난 것 같다고 합니다. 딸랑구 말을 들으니 아들 마음을 알 것 같아 평상이 있는 곳에서 아들만의 코스 놀이를 하고 어미는 기다립니다. 아들을 바라보면서 어떻게 해야 할까 기회를 보는데 때마침 이방원 아저씨가 보입니다. 어미는 기회다 싶어 어제부터 지금까지의 상황을 이야기하면서 아들이 되돌아가 무술을 할 수 있게 해달라는 부탁을 했습니다. 뻐팅기는 아들을 어르고 달래도 듣지 않으니 이방원 아저씨가 삐쳤다고 하며 어깨동무를 하고 무술 공연을 부탁합니다. 아들이 피식 웃으며, 한 아저씨 때문에 못하겠노라고 그제야 속내를 드러냅니다. 아저씨가 아들 편에 서서 아들 기를 세워주니, 마지못해 풀려서는 멋지지만 어설프게 무술을 하고 다시 집으로 갑니다. 집에 들어와 배낭을 내려놓고 자동차 키를 챙겨 든 다음, 아들이랑 동생을 픽업해 남양주로 출발합니다. 출발하면서 딸랑구가 친구 ㅇㅇ에게 출발을 알리는 전화를 하자는데 아들이 딸랑구에게 떠넘기며 짜증을 부립니다. 딸랑구가 어처구니 없어 하면서도 참아주느라 입을 다뭅니다. 침묵으로 대신함이 최고의 묘책입니다.

몇 년 만의 외출에 딸랑구 친구를 만나니 아들은 언제 심술을 부렸나 할 만큼 해벌레해서는 "ㅇㅇ야, 오늘 떡볶이는 내가 살게." 하고 카드를 꺼냅니다. ㅇㅇ이도 장단을 맞춰 승현이에게 떡볶이를 얻어먹다니 감격이라며 호들갑을 떨어줍니다. 하지만 떡볶이를 먹고 ㅇㅇ집으로 가 차 한 잔을 하자 이제 집에 가자 합니다.

돌아오는 길에는 딸랑구가 운전을 하자, 모녀가 짝짜꿍이 됐다며 아들 목소리가 봄바람처럼 살랑입니다. 고작 3시간 남짓한 외출이었지만, 다음을 또 기약해봅니다.

4월

기다리고 기다린

아들의 심술은 일상의 순례자처럼 어김없이 들락날락입니다. 순조롭게 하루를 시작하려나 싶으면 심통이 나서는 사는 게 짜증이 난다고 툴툴댑니다. 침묵으로 대응하자 어미 팔을 흔들며 사는 게 짜증이 난다고 강조하네요. 어쩌라구~ 어미도 소리 없는 짜증을 부리다가 슬그머니 되물었습니다. "어떻게 하면 기분이 좋아지려나?" 했더니 '아들이 물었다'고 하기에 어미 가슴을 감싸며 "아들이 물었구나~ 어쩐지 아프더라~" 했습니다. ㅎㅎㅎ 아들은 푸하하 웃으며 그게 아니라고, 어미 때문에 못 산다고 하기에 "큰일이네~" 하면서 '어미는 아직 아들을 하늘나라로 보내줄 수가 없노라'고 하면서 '행복하게 오래도록 살자' 했습니다. 그제야 아들이 어미 손을 꼬옥 잡으면서 "알았어, 엄마. 짜증 부려서 미안해!" 합니다. ㅎㅎㅎ 어찌 됐든 아들 심술이 풀렸으니 최고라고 했더니, 이놈이 하는 말, '엄마니까, 엄마 아들이라서 엄마한테만 최고인 것'이라고 합니다. 한참을 돌고 돌아서야 아들의 말을 알아듣고 되뇌이니, 맞다면서 그렇게 어려웠냐는데 무슨 말을 하다가 이런 결론이 났는지 모르겠습니다.

어쨌든 잘 풀렸나 했는데, 다시 '예쁜 누나들(아들 또래의 젊은 처자)을 요즘엔 만나지 못해서 멋진 무술을 못하니까 재미가 없다'며 샛길로 빠집니다. 헌데, 아들 마음이 통했을까요? 어미 눈에 들어오는 예쁜 사람들~ 아들을 불러 세우며 '아들이 기다리고 기다린 예쁜 사람들'이라 하니, 아들이 되돌아오면서 입이 씰룩씰룩~ 헤벌쭉입니다. 모처럼 힘이 들어간 무술 공연을 하고는 계면쩍어하면서 "좋은 날 되시고~" 폴짝 계단 길을 뛰어가버립니다. 그런 아들을 따라가면서 "예쁜 사람들 덕분에 우리 아들이 완전히 풀렸네요!" 인사합니다. 고마운 사람들 덕분에

봄날처럼 따뜻한 아들 손을 꼬옥 잡고 "♬행복해~ 행복해~♬" 하이 톤으로 흥얼거려 봅니다.

0403

두리번두리번

며칠 동안 애먹이던 아들 심술이 풀려서 기분 좋은 산행을 하는데, 이웃에 사는 친구 전화가 옵니다.

"옥화야, 어디야?"
"지금 데코길로 들어가는 중~"
"있잖아, 나 산에 올라 왔다가 지금 내려가는 중이야~"

어디쯤에서 오래간만에 친구를 만나겠다는 생각이 어미를 웃게 하는데 아들이 누구냐고 묻습니다. 어미 친구 문경이라고 하는데 아들이 모르겠다는 표정으로 어미와 눈 맞춤을 하는 순간 "아~ 현우 아줌마?" 하고 알아차립니다. "응, 현우 형아 엄마."라고 대답하자, 진작에 그리 말을 해야지 문경이가 뭐냐며 "한참 생각을 했는데도 모르겠잖아~" 합니다.

산 중턱에 다다라, 아들은 혼자만의 코스 놀이를 하고 어미는 조금 앞서서 친구를 찾아보는데 친구는 보이지 않고, 친구에게 전화를 하면서 두리번두리번 찾아봅니다. 헌데 지나가는 아주머니 같이 두리번거리며 '저기 코너에 서 있는 거 아니냐'고 하기에 '우리 친구를 아시냐'고 물으니 '아들이 옆에 없어서 아들 찾는 줄 알았다'고 웃으며 가던 길을 갑니다. 또 다른 한 아주머니도 '아들은 저기 아래서 누워 있다'고 말해줍니다. ㅎㅎㅎ 언제나 껌딱지처럼 붙어다니다 어미 혼자 두리번거리니까 아들을 잃은 줄 알고 함께 해주는 마음이 고마워서 싱글싱글 웃으면서도 눈에서는 눈물이 핑그르~ "고맙습니다." 혼잣말처럼 중얼거리는데 친구가 웃으며 다가옵니다. 오랜만이라고 안부를 묻는 사이 아들도 곁으로 와 나란히 앉아 이야기보따리를 풀어 볼 작정입니다.

아들은 상황을 알았는지 아예 어미 무릎을 베고 벌러덩 누워버립니다. ㅎㅎㅎ 어미는 아들이 심술 떨 것 같지 않으니 친구랑 그간의 회포를 풀어봅니다. 친구는 더 나이 들기 전에 성지 순례로 이스라엘을 다녀왔다고 하면서 함께 방을 쓴 사람의 부산함(본인의 물건을 잃어버렸다고 난리법석을 떨다가 결국 찾으면 미안함도 모르는 것 같은)으로 맘고생을 했다는 이야기를 합니다. 어미도 요 며칠 동안 아들이 힘들게 했던 이야기를 하다가 친구에게 '나이 먹어가면서 너무나 잘 살고 있고, 참으로 멋지다. 다른 이들에게 자랑하는 친구'라고 하는데 딸랑구에게 전화가 옵니다. 딸랑구 성당 대모(영적인 엄마)이기도 한 친구에게 전화를 넘겼습니다. 진정한 친구라고 함은, 오랜만에 만났지만 어제 헤어진 것 같은 편안함과 미소가 절로 번지는 행복함이 있어 참 좋습니다.

이제 그만 서로 다른 길로 헤어져야 할 시간. 친구가 아들에게 어느 식당 이름을 말해주면서 냉면이 맛있다고 어미랑 가보라며 용돈을 챙겨줍니다. 아들도 이제 연금을 탄다고 하니, 진작 타야 하는 걸 이제 타느냐면서 "그건 그거구~"라네요.

오늘 비 오는 뒷동산을 오르면서 아들이 어제 현우 형아 아줌마가 어디 가서 먹으라고 했느냐고 묻는데 음식점 이름이 생각나지 않습니다.

"골목식당이라고 했나~? 생각이 안 나네. 다음에 물어보고 가자."
"그놈의 건망증 좀 날려버리라고 했지!!"

어제에 이어 오늘도 변함없는 매일인데 오늘은 비가 와서 각자의 우산을 쓰고 가니 아들 손을 잡을 수가 없습니다. 아들은 "괜찮아~" 하고 어미는 "엄마는 안 괜찮어~" 하며 뒷동산 여행을 즐기는 오늘도 행복입니다.

0405

능력자

언제나처럼 오늘도 뒷동산 코스 놀이는 아파트 현관문을 통과하면서부터 시작입니다. "엄마, 이삿짐 차가 들어왔다!" 소리치며 뛰어가는 아들, '오늘은 계단 길로 가겠군~' 어미 혼자 중얼거리며 뒤따라갑니다. 아파트 내에서 이사가 있을 때만 열리는 문을 통과하면서, ·아들은 가슴이 뻥 뚫리는 기분이라며 계단 길을 오릅니다. 그런 아들의 기분에 맞춰 어미에겐 힘든 계단 길이지만 힘을 내봅니다.

산 중턱쯤에서 앞서간 아들이 룰루랄라 혼자 운동하는 아주머니께 "안녕하세요, 재주 많은 뭉치(원숭이)가 무술을 보여 드리겠습니다!" 하더니, "자축인묘~" 경쾌한 리듬으로 휙휙 여의봉을 돌리면서 신나는 무술을 합니다. ㅎㅎㅎ 아주머니가 아들에게 멋진 무술을 보여줘서 고맙다고, 음료수를 사 먹으라고 주머니를 뒤적이더니 "미안해, 이게 다네." 합니다. 그제야 겨우 도착한 어미가 아주머니께 아니라고 사양을 하는데, 아들은 두 손을 뻗어 받아 주머니로 넣으면서 "고맙습니다. 좋은 날 되세요." 합니다. 아주머니가 어미를 향해 마음이라고, 적어서 미안하다며 연거푸 말을 합니다. "고맙습니다." 인사를 하고 집으로 향하는데, 아들이 "4천 원이야~" 하며 넘겨주는 돈은 5천 원입니다. ㅎㅎㅎ

초콜릿, 사탕, 껌, 때론 귤 등 먹을 것을 나눠줄 때는 따뜻한 정이 전해져 감사 인사를 나눴는데, 현금은 처음이라 묘한 기분이 들었습니다. 허나 아들이 고맙다는 인사를 하며 가볍게 받아들이니 어미도 아주머니 마음을 느낄 수 있었기에 순간의 묘한 기분을 떨쳐내고, 아들에게 대단한 능력자라고 엄지 척을 해주면서 코스 이동을 합니다. 딸랑구에게 얘기하니, 아들이 연금을 받게 되면서부터 돈복이 들어오려나 보다며 깔깔 웃네요.

또 하나, 1년 365일을 하루도 빠짐없이 뒷동산을 오르는 아들은 표창장을 받아야 하고, 청소를 하시는 분에게는 공로상을 드려야 한다고 하는 아들이 하는 말까지! 오늘을 저장합니다.

근사한 데

"엄마, 오늘까지만 우리 집 가장인 아들이 저녁을 쏠 테니 외식하자. 동생아, 근사한 데로 안내할 테니 오빠만 믿어 봐."

2박 3일 동안 통영으로 여행을 떠난 우리 집 가장의 자리를 아들이 꿰차고는 어미와 동생에게 호기를 부립니다. 아버지 없는 왠지 모를 해방감 같은 기쁨을 표출하는 아들과 그 자리를 메우려는 듯 저녁이나 먹자며 집으로 온 딸랑구 사이에 끼어 어미는 행복 놀이를 합니다. 근사한 곳이 어딜까 궁금해하며 아들 딸을 따라나섭니다. 아들이 생각해 놓은 곳은 바로, 눈 수술을 하고 나서 "어머니이~ 보입니다. 솥뚜껑 삼겹살!" 하고 소리쳤던 우리 집 앞 골목에 위치한 가게입니다. 근사한 집이 여기냐고 물으며 좀 더 분위기 있는 곳을 찾아보자며 아들을 끌고 큰길까지 나와봅니다. 두리번거리며 찾자, 아들이 쪼끔 기분이 상한 듯 심술에 발동을 거는 걸 딸랑구가 디저트로 아이스크림은 자기가 사겠노라고 해서 아들 심술이 날아가 버렸습니다. 어미와 딸랑구는 베트남 쌀국수 생각에 큰길까지 나왔는데 아들은 싫다며 휙 돌아 다른 곳으로 이동하다 결국은 고깃집으로 들어갑니다. 메뉴가 무엇이든 함께하는 즐거움에 싱글벙글~ 아들이 점점 멋있어지는 것 같지 않냐며 좋아라 하는 어미를 보고, 딸랑구가 아들이 아니라 아들 돈으로 외식을 하는 게 좋은 거 아니냐며 눈에 하트가 뿅뿅이랍니다. ㅎㅎㅎ "응, 좋아~"를 연발

하면서 저녁을 후다닥 먹은 다음, 다음 코스 아이스크림 가게로 들어가 "아, 이 시려~"를 외치며 맛나게 먹었습니다. ㅎㅎㅎ

나온 김에 아들 운동화 밑창이 떨어졌으니 하나 사자고 하니까 아들이 고개를 끄덕입니다. 어미 운동화도 올해까지는 버텨보려고 했는데, 아들 거 살 때 사달라고 했더니, 아들이 어이없다는 듯 어미를 쳐다보며 웃고는 사라고 합니다. 이마트로 발길을 돌려 가벼우면서도 발이 편안한 운동화를 사들고 아들이 계산을 합니다. 처음으로 5만 원이 넘는 금액에 아들이 사인도 합니다.

딸랑구는 돌아가고 일찍 잠자리에 들어간 아들은 오늘 아침 6시도 안 됐는데 일어나 어미를 깨우면서 하루 일상을 시작하자고 합니다. 요즘 들어 일상이라는 단어 선택을 많이 하는 아들이 어미보고 양말을 신겨달라며 잘 하라고 하네요.

'어이구, 못된 놈 같으니라구~'

말과 손이 따로국밥이 된 어미, 아들 발을 올려 양말을 신겨주면서 뒷동산 오를 준비를 합니다. 오늘도 그렇게 시작입니다~

0414

싸움은 말려야지
평상시보다 한 시간 늦게 정상에 다다르니 연세가 가장 많으시다는 아저씨가 아들을 기다린 듯 초콜릿 두 개를 줍니다. 아들은 싱글싱글 웃으며 "안 줘도 되는데~" 하면서 받아 주머니에 넣습니다. 커피 아저씨들께 "안녕하세요~" 인사를 하고 정자 안으로 들어가 아들은 벌러덩 누워버리고, 어미는 커피잔을 들고 건너편으로 가서 커피를 받아 아들에게 돌아옵니다.

헌데, 데코길에서 한 아주머니와 아저씨가 서로의 고집을 내세우며 언성이 높아집니다. "작은 바늘이 어디에 있느냐고! 앉지 말고 답해야지!" 아주머니가 문제인 듯한데, 아들이 자리에서 일어나 그들에게 가려 합니다. 어미가 모르는 척 그냥 있으라고 하자, 싸움은 말려야 된다며 성큼성큼 데코길을 휘리릭 걸어갑니다. 황급히 아들을 따라 곁으로 가니 조금 전에 받은 초콜릿을 건네며 싸우지 말고 드시라고 하네요. 괜찮다 하면서 받아든 아주머니가 응석 아닌 떼를 쓰기에 어미가 안아주며 "하늘 같은 남편 말을 들어야지요~" 했더니, 남편이 아닌 아들이랍니다. 두 사람 얼굴을 다시 보니 그제야 엄마와 아들이 맞는 것 같습니다. 어미가 "아~ 그러네요." 하니까 우리 집 아들은 역할이 끝났다 싶은지 제자리로 돌아가고, 아주머니 아들이 어미에게 "엄마가 치매인데 6년째 이러고 있어요." 합니다. 그 마음을 알기에 아주머니를 꼭 안아주면서 "엄마가 아들 힘들게 하면 안 되잖아요." 하면서 등을 쓸어주니 엉엉 울면서 "그래야지." 합니다. 우는 아주머니를 조금 더 다독여주며 아들 말 잘 들어야 좋은 엄마라고 해주고는 우리 아들에게로 돌아왔습니다. "엄마, 모처럼 만에 참 좋은 일 했지?" 하며 머리를 들이미는 아들에게

쓰담쓰담을 해주고, 최고라며 엄지 척을 했습니다. 어제보다 오늘 조금 더 커져 있는 우리 아들 마음을 저장합니다.

0416

가상의 세계

여지없이 뒷동산으로 출발합니다. 헌데, 초입에서부터 삐그덕입니다. 샛길 통행을 하지 말라며 쳐놓은 울타리 안으로 되돌아가 올라오는 아들에게 주민이 보고 신고하면 어쩌냐고 물으니 상관없답니다. 그래도 맘이 불편하긴 한지 뚱딴지처럼 아침은 왜 먹느냐고 하더니, 사는 게 귀찮다면서 인사도 하지 말라고 온갖 짜증을 부립니다. 아들 곁에서 어미는 말없이 사진 놀이에 빠져봅니다. ㅎㅎ 통했을까요? 슬그머니 어미 손을 잡고 오르며 코스 놀이를 시작하는 아들. 홀로 벤치에 앉아 주절거리더니 그다음 공간에서는 홀로 무술 공연을 합니다.

중턱을 지나 데코길 코너를 도는데, "안녕하세요~" 아들이 먼저 인사를 건네고, 계단 길에서 할아버지가 아들 인사를 받아줍니다. 할아버지는 "오~ 오늘은 기분이 좋은가 보네?" 하더니 어미에게 그냥 흘려듣지 말라며 "아들 말이지, 저 들고 있는 지팡이~ 가상의 세계에서 빠져나와 현실을 직시하게 해야지~" 합니다. 아들을 보니 이미 앞서가고 있기에 "아~ 예, 그냥 아들이 즐겨 하는 놀이라서~~" 하면서 알았다며 고맙다는 인사를 하고는 아들에게로 다가가니 할아버지가 무슨 말을 했느냐고 묻습니다. 가상, 그러니까 만들어진 세계인 꾸러기 수비대 만화 속 캐릭터에서 빠져나와 현실을 직시하게 하라고 하는데 알아듣겠냐고 되물었습니다. 그러자 아들이 가상과 현실을 구분 못 하는 게 아니라 그냥 즐기는 놀이라고 하지 그랬냐고 합니다. 귀가 밝아 어미 말을 들었을까 하는 미심쩍은 눈으로 아들을 보면서 걱정할 필요가 없는 거냐니까 그렇다고 하네요. 그냥 그렇게 오늘 하루도 잘 살았지~ 생각하면서 또 하루를 보냅니다.

0421

계산법

저녁 준비를 하려는데 아들이 머리 손질을 해야 할 것 같다고 합니다. 며칠 전부터 머리 좀 깎자 하면 아직이라고 하더니, 갑자기 아들이 머리 손질하러 가자기에 부엌에서 하던 일을 멈추고 미용실로 출발합니다.

헌데 미용실에 손님이 있습니다. 아들이 들어가려다 멈춰서는 되돌아 나오려 하자, 미용실 원장이 곧 끝난다고 하니 아들이 마트에 좀 다녀오겠노라 합니다. 머리를 깎은 다음이면 마트에 들러서 초콜릿이나 과일 등을 하나 사서 원장에게 전하며 수고 하셨노라고 감사 인사를 잊지 않는 아들이 원장에게 순서를 바꿔서 마트에 다녀오겠노라고 한 것입니다. 마트에 들어간 아들은 복숭아 쥬스를 하나 들고 계산대로 가 얼마냐고 묻습니다. 아들이 계산을 하려나 싶어 옆에서 지켜보는데 3,700원이라고 하는 말을 듣기가 무섭게 "뭐가 그렇게 비싸?" 합니다. "비싸다고?" 되물으며 어미가 계산하겠노라 했지요. "돈 쓰기가 아깝구나?" 했더니 아들이 피식 웃으며 휘리릭 미용실로 갑니다.

아들은 미용실로 들어가면서 들고 온 주스를 넘기며 "아니, 주스 하나가 뭐가 그렇게 비싸? 3,700원이래~" 합니다. 원장님이 비싼 거 사오지 말고 그냥 와도 된다니까 그건 아니라며 어미가 계산했다며 머리는 아들이 계산한다고 합니다. ㅎㅎㅎ "주스 값보다 머리 깎는 값이 더 많이 계산될 텐데?" 하니까 아들 머리 깎는 값이라 괜찮다고 합니다. 아~ 이제 알았습니다. 주스는 아들이 먹는 것이 아니고 원장에게 주려니 마음과는 달리 비싸게 느껴지고, 머리는 아들 머리 손질이니 당연한 계산인 것입니다. ㅎㅎㅎ 아들 나름의 계산법이라는 생각을 하며 웃고 있는데 '야~옹' 딸랑구에게서 오는 카톡 알림이 울립니다.

'미용실 갔어?'

아들이 쓰는 카드 알림을 딸랑구가 받아 확인하는 내용입니다. 머리 깎았노라 답하면서 아들 나름의 계산법을 전하니 ㅋㅋㅋㅋ 웃는 딸랑구입니다. 이렇게 어미와 아들 딸랑구의 연결고리는 이어져 있으니, 행복하고 감사하는 오늘입니다.

0423

가마솥

페북에 신기한 쇼핑이라는 코너가 있기에 무심결에 챙겨 보는데, 가마솥이라는 상품이 옛 추억을 소환합니다. 아궁이에 불을 지펴 가마솥에 밥을 지어 먹던 그 옛날, 마지막에 남아 있는 누룽지를 먹으려고 엄마 옆에서 아궁이에 불이 꺼지지 않게 잔 나뭇가지를 꺾어 아궁이로 휘리릭 던지곤 했지요.

하나 더, 여덟 살에 할머니와 엄마 사이를 왔다리 갔다리 하며 살다 보니 엄마가 낯설어 엄마에게 잘 보이고 싶어 여러 가지 잔일을 많이 했던 기억까지 ㅎㅎㅎ 괜시리 콧등이 찡하며 그리움과 미소가 범벅이 된 감정에 가마솥 구입까지 해버렸습니다. 어제 도착하여 잘 받았노라고 하면서도 너무 예쁘고 앙증맞아 쓰기가 아깝습니다. 크기가 또 작은 듯하여 우리 집 예쁜 딸랑구에게 줄까 한다니까 그냥 써 보라며 소감을 올려보라는 숙제를 줍니다. 숙제는 싫다고 거절 아닌 사양을 하고, 어제 저녁부터 아들놈 카레 짜장 덮밥을 해주고는 맛을 물으니 "엄마가 해준 건 뭐든 맛있어~" 하니 평가가 되지 않습니다.

오늘 아침에는 어미 먹거리로 계란 프라이 두개를 했습니다. ㅎㅎㅎ 기름을 두를까 말까 하다가 정말이지 딱 두 방울 떨어트려서 계란 프라이를 했습니다. 급한 마음에 상차림을 준비하면서 프라이는 어미 입속으로 직행! 오~ 맛이 단백하고 계란의 맛이 그대로 사는 고급진 맛입니다. 아들에게는 기름을 두르지 않게 해서 밥에 얹어주고 달래장으로 비벼주니 특별한 맛이라고 합니다. 특별한 어떤 맛이냐까 그냥 묻지 말라면서 엄청 맛있어 하네요. ㅎㅎㅎ "맛이 있다니 됐네~" 하면서 "아들은 뭐든 맛있게 잘 먹잖아." 하니까 "그래서 특별한 맛이라고 했잖아~" 합니다.

무슨 말이 필요할까요? 오늘도 이렇게 아들과의 순간을 기록하면서 훗날 어미처럼 아들도 오늘을 소환하기를 바라봅니다.

0425

해님달님 이야기

뒷동산을 오르면서 아들이 해님달님 이야기를 해주겠노라고 합니다. "옛날 옛날 아주 먼 옛날, 그러니까 호랑이가~" 하기에 어미가 "ㅎㅎ 호랑이 담배 피던 그 옛날에~" 하고 끼어드니, 아들이 어미 팔을 툭툭 치면서 "내가 하려고 했는데~" 합니다. 아들이랑 그렇게 툭툭 치며 웃으면서 '지금부터는 진지하게 들어주겠노라'고 하는데, 이번엔 마주 오던 아저씨 한 분이 어미 발길을 잡습니다. "늘 느끼는 건데, 머리 모양이나 밝은 모습이 우리 장모님과 흡사해서 착각을 일으킬 만큼 똑같아 매번 놀랍니다." 합니다. 무슨 답을 하나요~ 그냥 웃으며 "아~예~" 하는데 아들이 "우리 인간은 하느님이 흙으로 만들어서 영혼을 불어넣어 살아 있는 사람이 된 거야."라고 답을 합니다. 아저씨에게는 "좋은 날 되세요~" 하면서 아들에게 "아들은 엄마가 만들었는데?" 하니까 "아니야. 처음 시작은 하느님으로부터야." 합니다. "그런 거였어? 엄마는 몰랐네~ 우리 아들은 엄마가 낳았으니까 엄마가 만들었다 생각했지~" 했더니 그만 이제 좀 아들 이야기나 들으랍니다. ㅎㅎㅎ 알았노라고 어여 시작하라고 했더니 이 번에는 끼어들지 말고 잘 들으라며 시작을 합니다.

"그러니까 그 옛날에 호랑이란 놈이 며칠 동안 먹은 게 없는 거야." 어미는 답을 하지 않고 가만히 듣습니다.
"엄마, 내 말 듣고 있어?"
"물론 듣고 있지~ 근데 아들이 끼어들지 말라며?"
"깔깔깔~ 내가 못 살아~ 대답은 해야지이~"
"미안해, 지금부터는 잘 들으며 답 할게. 그래서 굶은 호랑이가 어떻게 됐어, 죽었어?"

아들은 아니라며 며칠 동안 굶었으니까 배가 고파서 사람이 사는 마을로 내려와 물색을 하다 남매가 사는 집 앞에 이르렀다고 합니다. "그래서?" 하고 추임새를 넣는데 지나가는 아줌씨, "오늘은 너무너무 보기 좋은 게 행복이 넘치네요." 합니다. 아들이 뿔이 나서 "그냥 지나가!" 소리치고, 어미가 "지금 우리 아들이 해님달님 이야기 중이라서요. 좋은 날 되세요." 설명했더니 "아고~ 미안해요, 아들!" 하면서 휘리릭 가버립니다. 어미가 그래서 남매는 어떻게 됐냐고 하니까 아들은 인간을 만드신 하느님이 모른 척 했겠느냐면서, 동아줄을 내려주어서 하늘에 올라가 오빠는 남자니까 달님이 되고, 동생은 해님이 된 거라 합니다. "끝이야?" 어미가 물으니 "아니" 아들이 답하고, 다시 어미가 "그럼" 하고 되물으니 아들이 "배고픈 호랑이도 기도를 했겠지?" 해서 어미가 "엉." 하고 답을 합니다. 이번엔 아들이, "그래서 하느님이 이번엔 썩은 동아줄을 내려줘가지고 호랑이는 하늘로 올라가다가 떨어져 꽥 하고 죽었어. 호랑이가 죽어서 가죽으로 옷을 만들었다는 먼 옛날이야기야. *끄읕~* 엄마, 재미있지? 다음에 또 해 줄게."

이렇게 끝이 난 오늘 이야기, 다음을 기대하면서 뒷동산 놀이를 저장합니다.

0426

두릅 소식

4월이면 따뜻한 기다림이 있습니다. 헌데 4월이 다 지나가도록 소식이 없기에 딸랑구에게 슬그머니 물었습니다.

"딸랑구, 올해엔 푸대자루님에게서 두릅이 안 오네. 염치없지만 기다려지는데~ 아니면, 혹시 무슨 일이라도 있으신 거 아닌가~?"

딸랑구가 생각도 못하고 있다가 어미랑 이야기를 하면 꼭 우리 대화를 들은 것처럼 오던데 기다려 보랍니다. ㅎㅎㅎ 그로부터 한참을 기다리고 4월이 정말 다 가려 하는 오늘, 딸랑구에게 카톡을 받았습니다.

"안녕하세요~ 오늘 두릅이랑 머위 조금 보냈어요. 두릅이 오늘 따지 않으면 주말 동안 너무 자랄 거 같아서 땄는데 양이 좀 부족해서 머위로 양을 맞췄어요 ㅋ 머위도 좋아하실지 모르겠네요 ^^;"

　이번엔 머위까지 보내준다네요. 괜시리 좋아서 헤벌쭉~ 아들이랑 비 오는 뒷동산의 운치를 즐기며 출발합니다.

　비 오는 날은 한적하여 어미 마음이 여유로워지기 때문에 아들의 투정 아닌 짜증을 잘 받아줄 수가 있어 좋은데, 오늘은 아들도 나름 즐기는 듯합니다. 어미와 마주치는 사람들에게 "안녕하세요~" 인사도 하고, 어떤 사람한테는 "무술 한번 보고 가세요." 합니다. ㅎㅎㅎ "그럴까? 어여 해 보렴~" 하고 그 자리에 서서 아들을 바라봐주니, 아들이 가던 길을 멈춰 서서는 신나게 휙휙 무술을 합니다. 박수와 함께 "멋지다. 엄마 말 잘 듣고 다음에도 부탁해~" 하며 지나치는 아저씨께 "고맙습니다, 좋은 날 되세요~!"라고 어미와 아들이 합창을 합니다. 합창을 한 어미와 아들이 마주 보고 하하 호호 뒷동산에 웃음꽃이 피는데 '냐옹' 딸랑구 카톡 알림이 옵니다. 아들은 고양이 소리라고 두리번거리며 찾고, 어미는 웃으면서 '엄마 핸드폰 양이야' 하며 카톡을 확인합니다.

　"벚꽃은 갈수록 일찍 피는거 같은데 두릅은 매년 하루 이틀씩 늦어지는 거 같아요. 매화꽃도 늦게 피는거 같고.. 봄이 이상해진 건지 나이 드니까 기억이 뒤죽박죽 된 건지 모르겠어요 ㅜㅜ 머위 좋아하시면 더 보내 드릴 수 있다고 전해주세요. 저도 머위 좋아는 하는데 껍질 벗기는 게 귀찮아서 거의 안 먹게 되더라구요."

딸랑구가 전달해준 푸대자루님의 카톡입니다.

"공감이 가는구만, 나이드니 일거리가 싫지만 감사한 맘으로 잘해 먹는다고 전해주고 인생의 덤은 행복이야. 거절은 아니 한다고 전해줭."라고 어미가 보냈습니다. 그러자 금방 답장이 또 옵니다. "저도 기억이 맞나 틀리나 싶어 인스타 사진 뒤져보고는 내 기억이 틀린 건 아니구나 했어요. ㅎㅎ 괜찮으시다니 곧 머위랑 물김치 담글 돌나물 보내 드리겠다고 말씀드려주세요. 저도 '인생의 덤은 행복'이란 말을 할 수 있는 그런 삶이면 좋겠어요 ^^" ㅎㅎㅎ 돌나물까지 푸짐한 정이 쌓이는 오늘도 행복만땅입니다.

0429

5월

결석

3일 전에 뒷동산에서 계단 길로 내려오는데 왼쪽 종아리가 아파서 절절매면서 귀가를 했습니다. 근육이 뭉친 건지, 무릎을 약간 굽히려면 통증이 되살아납니다. 움직이면 그런대로 걸을 만하기에 조심조심 다녀오는데, 둘째 날에도 아들은 계단 길로 방향을 잡기에 다리가 아프니 데코길로 가자고 했지만 가는 길도 마음대로 못하냐며 계단 길로 휘리릭 가버립니다. 어쩌지 못하고 거북이걸음으로 아들 뒤를 따라가지 못하자, 아들이 벤치에 앉아 기다려주면서 '쉬었다 가자' 합니다. 그러더니 약은 먹었느냐고 묻습니다. ㅎㅎㅎ 집으로 들어가기 전에 약국에서 근육이완제를 사 들고 와 먹은 다음, 뜨거운 수건으로 찜질하니 움직일 만해서 오후에 물김치를 했습니다. 그런데 잉잉~ 아무래도 무리였는지 오늘 아침 일어났는데 걸음을 뗄 수가 없어 벽을 의지해서 몇 발자국을 그런대로 움직였습니다.

뒷동산으로 출발. 엘리베이터를 타고 1층에서 내리려는데 우산을 챙기지 않아 내딛던 발을 제자리로 옮기는 순간 너무 아파 소리가 절로 나왔고, 움직일 수가 없어 아들에게 의존해 집으로 들어왔습니다. 남편이 아들에게 "비도 오고 엄마가 아프니까 오늘 하루 쉬면 안 될까?" 묻자, 아들이 말없이 어미를 바라보다가 아들 혼자 다녀오겠노라고 합니다. 그건 안 된다고 조금만 있어 보라 하며 종아리 마사지를 하고 일어서 걸음으로 근육을 달래니 갈 만한 것 같아 가보자고 하니까, '아버지랑 가자'고 남편이 아들에게 제안을 합니다. 머뭇거리는 아들에게 '범띠 아버지라고 아저씨들에게 소개시켜 드리라'고 했더니 더이상 거부하지는 않습니다. 아버지가 출발하려고 준비하는 사이, 아들에게 아저씨들 앞에서 무술 공연은 엄마랑만 하자고 당부하고, 아들이 가이드가 되어서 아버지에게 멋지게 설명하라고 하면서 "아들, 엄마가 같이 못가서 미안해." 했더니 "괜찮아, 잘 갔다 올게." 합니다. 딸랑구에게 전화로 상황을 설명했더니 아들이 엄청 긴장되고 스트레스받을 거라며, 그래서 어미가 아프면 안 된다고 한소리 합니다.

무사히 다녀온 아들은 묵묵부답이더니, 약을 사갖고 들어온 남편이 만나는 사람들에게 인사를 하면서 아버지라고 소개를 하더라며 좋아합니다. 말없이 오후 시간을 보낸 아들은 저녁 준비를 하는 어미를 졸졸 따라다니면서 내일은 갈 수 있느냐고 묻기에 "하루만 더 아버지랑 같이 갈까?" 했더니 안 그러고 싶다며 어미 팔을 끌어당깁니다. 아들에게 어미가 천천히 가보겠노라고 했더니, 좋아라~하며 저녁 밥맛이 완전 꿀맛이라고 하네요~

장남의 도리

어제보다 상태가 훨씬 좋아져 아들과 뒷동산으로 출발합니다. 현관문을 나서는데, 문이 닫히지 않게 아들이 지지대로 고정하고 기다리다가 어미가 신발을 신은 다음 현관문을 나서니 고정시켰던 지지대를 풀어주면서 한마디 합니다.

"늙은 부모님 모시는 게 쉽지 않네."

푸념 같으면서도 짓궂고 능청스러운 아들 말에 빵터져서 엘리베이터 버튼을 누르고 한참을 웃었습니다. ㅎㅎㅎ 뒷동산을 오르면서 아들이 말합니다. "요즈음 누가 부모님과 살아. 동생도 분가했잖아. 내가 장남이니까 도리를 다 하는 거야." 하더니, "내 말이 맞아, 틀려?" 합니다. "어이구 예예~ 옳은 말만 하십니다요. 고맙구, 고맙습니다. 우리 아들 최고!" 엄지 척을 해주면서 코스 놀이를 합니다.

그렇게 웃으며 수다로 뒷동산을 채우며 오르지만, 굼벵이가 되어 천천히 걷다 보니 아들 발걸음을 따르지 못합니다. 아들이 쓰고 가던 우산을 접어 어미에게 주고는 어미 우산을 함께 쓰면서 팔짱을 낍니다. "진작에 같이 쓸걸." 하고는 "봐 봐, 아들이 최고지." 하네요. 푸하하하 웃으며 또다시 엄지 척을 해주고, 아들이랑 비 오는 뒷동산 놀이를 행복으로 가득 채웠습니다.

0506

세상에 이런 아들 없다

 어제는 딸랑구가 집에 오는 날입니다. 어미를 엎드리게 해놓고는 종아리 마사지를 아픈 곳만 찾아내 참으로 잘 풀어줍니다. 근육이 뭉친 시작점을 집중적으로 풀어주니 아주 부드러워진 듯 걸음걸이가 수월합니다. 그런가 하면 아들은 어버이날 선물을 어찌할까 고심하면서 어미는 돈이 좋다고 했다며 동생에게 자문을 구합니다. 어미가 옆에서 5만 원, 그러다가 3만 원만 달라고 주문을 하니 아들이 1,080만 원을 준다고 합니다. 딸랑구가 아들 전 재산을 털어도 택도 안 된다며 보기를 제시합니다. 1번 10만 원, 2번 5만 원, 3번 3만 원 그러길래, 4번 빵 원을 덧붙였더니 빵 원이라는 말에 아들 웃음이 빵 터졌습니다. ㅎㅎㅎ 결국 아들의 선택은 1, 2, 3, 4에 없는 "2만 원~" 합니다. 딸랑구가 그럼 2만 원을 어미 통장으로 입금하겠노라고 아들에게 물으니 확답을 하지 않습니다. 아들의 반응을 엿보던 어미가 됐노라고 빵 원으로 결론을 내렸습니다. 딸랑구를 배웅하고 집으로 들어서자, 아들이 동생은 잘 갔느냐고 물으며 어버이날 선물로 3만 원을 주겠노라고 합니다. ㅎㅎㅎ 아들 마음이 중요하니까 안 해도 된다고 답을 했더니 오늘 아침에 아들이 마음의 선물이라며 아침 인사와 함께 하이파이브를 하네요. ㅎㅎㅎ

 뒷동산을 오르면서는 다리 통증이 괜찮으냐고 물으면서 '세상에 이런 아들은 없다'고 합니다. 없는 건 맞다고 하면서 뒷동산 코스 놀이를 합니다. 정상 정자 안에서 자리를 잡고 건너편 커피 타임을 갖는데 아저씨들이 한마디씩 합니다. '병원을 먼저 가야지', '조금 있다 핵심적인 곳을 봐주겠노라', '아들 생각해서 엄마가 먼저지~' 등등 모두가 나섭니다. ㅎㅎ "아~ 예예, 고맙습니다." 하고 관심과 이웃 사랑을 느끼면서 돌아오는 계단 길은 아들 어깨를 의지하니 수월하고, 아들은 기차놀이라고 즐거워하는 오늘도 고맙고 감사한 하루를 저장합니다.

0508

나이 들면

아침을 먹으면서부터 뒷동산을 오르면서도 아들이 흥얼흥얼 노래를 합니다.

"♬스승의 은혜는 하늘 같아서~♬" 어미도 따라 부릅니다.
"♬ 참되거라, 바르거라~ 가르쳐주신~ 스승의 은혜는~♬"

그런데 아들과 어미 둘 다 멈춰서는 다음을 이어가지 못하고 쳐다보며 웃기만 합니다. 그러다 "♬어버이시다♬"로 마무리 했지만 맞는 것 같으면서 아닌 것 같기도 하고~ 생각에 빠져 있는데 이사 간 아저씨와 마주칩니다.

"아프시다더니 괜찮으세요? 승현이가 아버지랑 산을 오르는데 아주 진지하게 인사를 하면서 아버지를 소개 하는데 아주 의젓하더라구요."

그리고 아들 어깨를 쓰담쓰담 하면서 "승현아, 날이 갈수록 멋지다." 합니다. 지나간 그날을 그야말로 순식간에 쏟아 놓고는 휘리릭 가버립니다. ㅎㅎㅎ 어미와 아들이 웃으며 아저씨 뒷모습을 향해, "좋은 날 되세요~!" 합창을 하자, 아들이 "역시 우리는 통한다. 그치이~?" 하네요. ㅎㅎㅎ 다시 뒷동산을 오르면서 코스 놀이를 하고, 쉬어가는 중간중간 아들이 어미 종아리 안마를 주먹으로 톡톡 두드려 주면서 "나이 들면 자식한테 의지하는 게 맞는 거야~" 합니다. 푸하하하 한참을 웃으니 아들 말이 틀리냐고 묻습니다. ㅎㅎㅎ 맞는 말만 해서 행복한 웃음이라고 했더니 다시 강조를 합니다.

"요즈음 늙은 부모와 함께 살면서 이렇게 챙기는 아들은 없어~ 알기나 하셔~"

ㅎㅎㅎ 오늘도 아들이랑 알콩이 달콩이하는 웃음 가득한 날로 저장합니다.

0515

부모 봉양

오늘도 불편한 다리로 조심조심 뒷동산으로 출발합니다. 초입에 있는 계단길을 오르는데 아들이 어깨를 빌려준다고 어미 손을 끌어 당깁니다. ㅎㅎㅎ 내리막에서는 아들 어깨를 잡고 기차놀이를 하는 것처럼 하면 어미 다리에 힘이 덜 들어가 수월하지만, 오르막은 별 효력이 없어 뒤에서 밀어 달라고 했습니다. 그런데 아들이 어미 옆에서 끌어줍니다. 조금 불편하지만 아들 마음 씀을 칭찬해주며 어그적 어그적 오르고 벤치에 털푸덕 앉았습니다. 그러자 '세상에 이런 아들은 없다'며 어미는 행복한 줄 알라는 아들 때문에 푸하하하하 웃습니다. 돈의 위력인 듯합니다.

연금을 받으면서 아픈 다리를 핑계로 마트 심부름을 아들 카드로 결제하게 했더니, 의기양양해져서는 '늙은 부모 모시는 게 쉽지 않다'는 둥, 스스로를 효자로 임명하며 힘주어 말하는 아들. 시시때때로 스스로를 과시함이 사랑스럽습니다. 만나는 사람마다 '아들이 달라졌다' 하고 어미는 좋아서 "우리 아들이 요즘 부모 모시고 사는 사람이 없다며, 늙은 부모 모시는 게 쉽지 않다네요." 하며 자랑을 합니다. 모두들 하나가 되어 "대단한 엄마와 아들을 응원합니다." 하고 웃음꽃을 피웁니다.

　　헌데, 뒷동산 놀이를 끝내고 집으로 돌아오는 코스를 계단 길로 접어들기에 아직은 안된다고 데코길로 가자 했지만, 아들이 막무가내로 계단 길로 휘리릭 가버립니다. 어쩌지 못하고 조심히 아들 뒤를 따라가는데 다리에 힘이 많이 들어가 몇 걸음 가다 쉬고를 반복하자, 앞서가던 아들이 미처 생각을 못 했다며 "미안해~" 합니다. 어처구니가 없지만, 아직 내리막길이 힘들다는 말을 해주면서 내일은 데코길로 부탁한다고 했습니다. 그런데 아들이 '세상사는 마음대로 되는 게 아니'라며 내일은 또 모르겠답니다. 어미는 아들 말이 뭔 소린가 싶어 갸우뚱 하지만 통하는 말인 듯하여 "갈수록 말만 늘어~" 하며 아들 볼을 꼬집어 주는 오늘도 최고의 날입니다.

하이라이트

오늘도 뒷동산을 오르면서 아들이랑 코스 놀이를 합니다. 언제나 같은 코스지만 매일 다른 이야기가 쌓이는데, 어미가 다리를 아파한 이후로는 아들이 토닥토닥 대여섯 번 두드려주는 사랑놀이와 계단 길을 내려올 때 아들 어깨를 의지하는 기차놀이가 추가되었습니다. 행복한 여행으로 오늘도 여지없이 출발합니다. 첫 코스는 가지 말라는 울타리를 넘고, 두 번째 코스는 새별이 나무를 끌어안고 말합니다.

"새별아, 엄마가 다리가 아프대. 오빠가 늙은 노모를 챙겨주려니 고생이 많다. 로또도 듣고 있지?"

한참을 주절거립니다. 뒷이야기가 궁금해서 물으니 아들은 그저 흐흥 웃으면서 "엄마가 좋아하는 딸랑구는 일요일에만 안마를 하지만, 아들은 매일 봉사하고 있다고 양이들에게 고자질 했지~" 하면서, 아들 말이 틀리냐고 묻습니다. 왜이리 당당하냐고 되물으며 '아들 때문에 어미가 잘 살고 있는 것 같다'고 아들이 최고라고 덧붙이면서 꼬옥 안아주니 '행복한 줄 알라'고 합니다. "아~ 예예~" 알았노라고 응해주며 코스 이동을 하는데, 그야말로 오늘의 하이라이트입니다. 아들이 진지하게 어미를 부릅니다.

"있잖아~ 아들이 늙은 부모를 산에다 버리고 갔다는 거 알아. 하지만 난 우리 조옥화 어무니가 길치라 산에 두고 갈 수가 없어. 그러니까 아들 손 꼬옥 잡고 다녀야 해. 알았찌이~?"

"아이구~ 아드님, 손을 꼭 잡는 이유에 그런 깊은 뜻이 있었습니까? 고맙고, 고맙습니다."

그리고는 웃고 또 웃으며 "왜 자꾸 웃음이 나오지~" 했더니 "행복이 넘쳐서 그런 거야~" 하네요. 이상, 최고의 아들 자랑이었습니다. ㅎㅎㅎㅎ

0530

6월

25만원

6월에 해외여행을 계획하고 있는 남편이 딸랑구와 전화 로밍에 관해 논의를 합니다. 그러자 아들이 어미에게 아버지 여행 가느냐며, 아들이 용돈을 드린다고 합니다.

"아버지, 내 통장 관리를 동생이 하거든. 그러니까 동생에게 25만 원 챙겨오라고 할게."

남편이 정말이냐 되물으면서 어미더러 증인이라고 합니다. 어미가 듣고 있다가 아들에게 물었습니다.

"아들, 왜 20만 원도, 30만 원도 아닌 25만 원이야?"

아들 대답이 그냥 그러고 싶어서랍니다. 그래서 한 가지 더 묻겠노라고 하면서, '통장은 왜 어미가 아닌 동생에게 맡겼느냐'니까 '어미는 나이가 들어 깜빡깜빡해서 믿을 수가 없는데, 동생은 똑똑하지 않느냐'며, 믿고 맡길 수 있다고 합니다. 어미는 벙쪄서

'생각 없이 사는 줄 알았는데 현명하게 옳은 판단으로 결정을 아주 잘했노라'고 엄지 척을 해주고 뒷동산으로 출발합니다.

초입에서 딸랑구에게 전화해 아들에게 넘겨주니, "동생아, 아버지가 여행을 간다네, 그러니까 25만 원만 부탁해." 하더니 뒷동산을 다 오르기도 전에 딸랑구 은행에서 25만 원을 인출했다며 일요일에 전해주겠다고 합니다. ㅎㅎㅎ 오늘도 위풍당당한 아들 모습을 마음 깊이 저장합니다.

0602

가장의 무게

"엄마아~ 해가 중천이야, 얼렁 일어나아~"

새벽 5시에 일어난 아들이 어미를 깨우며 하는 말입니다. 너무 이른 시간이라고, 조금 더 자라고 하니까 아들 눈이 번쩍 떠져서 잘 수가 없다며 30분만 더 자고 일어나라고 합니다. 호랑이(범띠 아버지)가 없으니 아들 뭉치(원숭이띠)가 왕이라면서, 아버지가 하던 일(화초에 물 주기)을 이어받아 달랑 화분 하나에만 물을 주고는 다 했다며 아침을 먹자 합니다. 어미가 밍기적거리다 아침을 챙겨주니 잘 먹었노라고, 아침밥 차리느라 수고 많이 했다며 위풍당당한 아들의 모습입니다. 으이그~ 말해 뭐 할까 싶어 뒷동산 오를 준비를 하고 출발합니다.

첫코스로, 가지 말라고 세워진 울타리 사이를 넘어가면서 '명명

왈왈'(어미가 개구멍이라고 했던 말에 응하는 듯) 소리를 내며 오릅니다. 오르고 오르면서 힘이 들어간 소리로 "아버지 여행은 내가 보내 드린 거야~" 하더니, "이 세상에 나같은 아들은 없어~" 하며 되풀이로 읊조리더니 아들 말이 맞지 않느냐 합니다. 맞는 말이라 해주고, 목소리에 힘이 엄청 많이 들어간 이유를 물었더니 '가장의 무게'라고 하네요. 푸하하하~ 웃으면서 우리 아들 최고! 엄지척입니다.

0615

방문

"엄마, 3시 30분에서 4시 30분 사이에 주민센터에서 방문할 거야."

뒷동산을 다녀온 후 아들은 여의봉 작업을 하고 어미는 게임에 빠져들고 있는데 딸랑구에게서 온 전화입니다. 왜냐고 물으니 물김치나 열무김치를 선물 받을 것임을 암시하면서 기초 수급 등 아들에 필요한 것 등을 알아보려는 방문인 듯하다 합니다.

"딩동~"

벨이 울리니 아들이 나가 보라고 어미에게 명합니다. 아파트 현관문을 열어주고 엘리베이터 앞에서 기다렸다가 우리 집 문을 열어주면서 '모기가 극성이니 얼른 들어가라'는 재촉 아닌 부탁으로 들어섭니다. 그 앞에 어정쩡하게 서 있는 아들에게 주민센터에서 왔노라고 답해주며 자리합니다. 아들의 일상을 묻습니다. "두 눈을~"라고 말을 떼려다 아들에게 이야기해도 되냐고 물으니 "다 지나간 이야기를~" 하며 승낙을 해줍니다. 어미가 이야기를 이어갑니다. 수술한 후 한쪽 눈은 끝내 잃어버렸고, 그 후로 사람들의 시선을 곱게 받아들이지 않고 세상을 향한 몸부림이랄까, 난폭한 성향이 두드러졌음을 설명하였습니다. 아침저녁으로 클레이로 열두 동물 작업을 한다고 말하다가, 아들에게 아들이 작품 소개를 해보라는 귀띔을 하고는 그다음엔 뒷동산으로 출발이라고 했습니다. 뒷동산을 다녀온 후에는 여의봉 작업을 하고, 나름 짜임새 있게 잘 지낸다는 말을 하는데 말 틈틈이 직원이 메모를 합니다. 그래서 딸랑구가 만들어준 책(22년도 책은 재주문 해야겠기에 21년도 책)을 건네주니, 감동을 하며 읽어 본 후에 돌려준다고 합니다. 장애인들의 일상을 공감하고, 복지 혜택을 누릴 수 있도록 할 수 있는 만큼 최선을 다 하겠노라는 그네들이 다녀갔습니다.

딸랑구에게 그들이 다녀갔노라고 전화를 하면서 딸랑구가 말한 김치는 없다고 전하고, "김치는요?" 하고 되물으려다가 꿀꺽했노라 전하며 한참을 웃고 웃었습니다. 아들은 어제에 이어 오늘도 왜 왔느냐고 묻고 또 묻습니다. '아들이 궁금해서, 잘 살고 있나. 필요한 것은 없나 등이 궁금해서'라고 답했지만 또 묻습니다. 그래서 '연금은 잘 받고 있는지, 잘 쓰고 있는지'라고 답해주다가 요즈음 아들이 사용하는 '일상'이라는 단어가 생각이 나서 '아들 일상이 궁금해서'라고 했더니 그제야 어엉~ 하며 알았노라고 합니다.

오늘도 어미와 아들의 일상은 어제와 다름없이 비 오는 뒷동산으로 출발합니다.

0621

혼돈의 과학

여행을 떠난 남편의 자리를 아들이 차지하면서 대왕이 되었다며 군림하던 아들. 그런데 아버지가 선물로 장난감 로봇을 사다준다 했다고 합니다. 그럴 리가 없는데~ 아니라고, 사다준다고 꿈에서도 말했노라고 하여 귀국한다는 남편의 카톡에 아들의 말을 전달했습니다. 그러자 결국 딸랑구를 통해 돌고 돌아 로봇을 받은 아들의 입은 헤벌쭉~ 3일이 지난 오늘도 유효합니다. 오룡이(뱀) 머리에서 나온 과학에 의해 로봇이 만들어지고, 결국 인간 세상까지 점령했다고 하는 말에 어미 또한 머리 굴려 생각합니다. '아들 생각을 어미가 따라가지 못하겠지만, 무조건 울 아들 최고!' 하며 엄지 척을 합니다.

"어이구, 엄마야~ 계단 길로 내려올 때 아들 어깨를 의지하고 엄마가 내려오는 걸 내가 조옥화 엘리베이터라고 했잖아~ 그 원리랑 같은 거야~"

오히려 점점 미궁으로 빠져들어 가는데 또 다른 말을 덧붙입니다.

"엄마! 결혼은 사랑하니까 했으면서 이혼이 애들 장난이야? 말도 안 되는 소리를 하는 꼴이~"

이건 또 뭔 소리? 하다 보니, 드라마를 보다 흥분해서 열변을 토

하던 아들이 생각났습니다. 이리갔다 저리갔다 여러 이야기가 섞여 무슨 말인지 혼돈이라고 하는 어미에게 아들이 말합니다.

"엄마, 과학의 원리인 거야. 생각을 해봐. 결국 우리는 하나야~ 알아 들어?"

대체 무슨 말이 하고 싶었던 걸까? 생각하며, "뭔지는 모르겠지만, 무조건 알았다고 하면 되는 거지?"라고 되묻자, 아들이 "에이구, 못말려~ 우리 엄마를 어찌할까. 이러니 늙은 노모 모시기가 어려운 거야~" 합니다.

ㅎㅎㅎㅎ 이렇게 오늘도 끝나지 않은 말씨름을 저장합니다.

0628

7월

띠동갑 친구

어미에게는 기억이 없는데, 누군가 우리 모자를 그 옛날부터 알았노라고 합니다. 아들이 매일 만화책 한권씩 빌려오던 일과, 열려 있는 문은 꼭 닫는 습관까지 기억하고 있는 우리 아파트 이웃입니다. 요즈음 뒷동산 정자에서 지난 이야기를 시작으로 매일 담소를 나누는데 아들이 이야기 속으로 끼어듭니다. 어미가 말하던 중이라고 했더니 "나도 좀 말하자!"며 어미를 밀어냅니다. 어미 몸은 휘청, 이야기 주제 역시 아들에게 밀려 벙찐 얼굴로 아들을 노려봅니다. 하지만 아들은 어미 시선은 아랑곳하지 않고 "있잖아요, 꾸러기 수비대를 아세요?" 하며 주저리주저리 떠들어 대고, 아저씨는 "뭘까?" 하며 아들 말에 응수해주고, 어미는 간간이 설명을 덧붙여 아들의 생각을 펴게 합니다.

또 한 사람, 이방원 아저씨('태종 이방원'이라는 드라마를 보며 이야기를 나누면서 부르게 된 호칭)도 일주일에 두세 번 만나게 되는데, 아들 눈높이에 맞게 이야기를 잘도 끄집어냅니다. 그야말로 사람 요리를 잘하는 능력을 갖고 있는 사람이라고 어미가 평하지요. 아저씨와 아들이 띠동갑(원숭이띠)이라고 친구

사이라고 말해주며 격의 없이 아들 마음을 풀어내어 주니, 더불어 사는 관계에 감사합니다.

어제도, 오늘도, 내일도 또 다른 연으로 아들에게 관심을 갖고 손을 내밀어주는 뒷동산 아저씨, 아주머니들. 늘 고맙고, 고마운 마음을 쏟아지는 빗물에 띄워봅니다.

0705

사람 잡겠네

창으로 본 하늘은 심술 난 아들처럼 잿빛에, 성난 바람 따라 나무들이 춤추며 곧 비가 내릴 것 같지만, 핸드폰으로 알려주는 일기예보에서는 강수 확률이 10%라기에 비상용 우산을 챙겨 들고 뒷동산으로 출발합니다. 코스 따라 오르다 아들과 어미가 헤어졌다 만나는 지점에 이르러, 어미를 너무 많이 기다리게 하지 말라는 당부를 하고 50미터 거리를 두고 기다립니다. 헌데 아들이 데코길 너머로 뛰어내리려 해서 한 아저씨가 위험하다며 말리는 사이, 어미가 아들 곁으로 뛰어갔습니다. 바로 내려가는 건 위험하니 조금 옆길로 가게 하면서 왜 내려가려고 하는지를 살펴보니, 데코길 아래 아들 여의봉이 떨어져 있습니다. 여의봉을 챙겨 어미에게 주고는 쉬운 옆길이 아닌 데코 길 난간으로 직접 오르려 손을 뻗기에, 아들 손을 당겨 보았지만 역부족입니다. 아들은 풀숲으로 떨어지고, 어미는 데코길 바닥으로 털푸덕 넘어졌습니다. 넘어진 어미가 다시 일어나, 여의봉 챙기려다 사람 잡겠다는 아들에게 내려갔던 옆길로 올라오라고 일러주었습니다. 그사이 달려온 한 아저씨, 아주머니가 큰일 날 뻔했다며, 도와주려고 뛰어 왔노라고 합니다. 따뜻한 순간의 정을 느끼며 다시 아들이랑 뒷동산을 오릅니다.

중간쯤에서 무술을 합니다. 중년 부부가 응수해주면서 아들 옷에도 캐릭터(열두 동물 캐릭터)가 있다고 멋지다는 칭찬을 해줍니다. 아들에 향한 관심이 아들 마음에 흡족한지, 또 다른 칭찬이라고 하면서 어미에게 배낭에 책이 있으면 주라고 합니다. 아들 마음을 전하면서 딸랑구 책(해님과 달님 이야기)을 건네주고, 어미 책은 다음에 주겠노라고 했더니 아들에게 관심이 많노라는 말과 함께 따뜻한 남자라고 전해달라고 하네요. ㅎㅎㅎ 아들에게 전해주니 '아들 마음이 따뜻하긴 하지' 하며 최고의 아들이랑 같이 하는 어미는 행복한 줄 알라고 합니다. 덕분에 상기된 아들이랑 룰루랄라 정상으로 고고씽입니다.

정상 정자 안에 다다른 순간, 비가 억수로 쏟아집니다. 쏟아지는 비를 바라보며 비 오는 뒷동산의 운치가 아름답지 않느냐면서 커피 맛을 음미하라고 합니다. ㅎㅎㅎ

여러 가지로 어우러진 오늘도 최고의 날이라고 하는 아들이랑 어미, 잘 살았습니다.

0709

출입금지

"엄마아~ 양치하셔~!"

　아들이 양치를 하고 나오면서 어미에게 명합니다. 그래서 "엄마 아까 전에 했어." 답하니까 아들이 못 봤다고 다시 하라며 떼쓰듯 밀어 붙입니다. 어미가 할 일은 어미가 알아서 하는데 못 봤다고 또 하라고 하면 어쩌냐고, 내일부터는 아들에게 광고를 하겠노라고 했습니다. 아들이 씨익 웃어주며 그렇게 해달라고 하네요. ㅎㅎ ㅎ 으이그~ 어미가 주먹을 쥐고 쥐어박는 흉내를 내며 일단 락~ 매 순간마다 쏟아내는 아들의 수다와 잔소리만큼이나 멈추지 않는 빗속을 뚫고 뒷동산으로 출발합니다.

　헌데, 초입에서 길이 막힙니다. 폭우로 뒷동산 출입을 통제한다는 팻말이 있습니다. 덕분에 하루 쉬려나 했는데, 아들은 시침 뚝 떼고 계속 직진입니다. 아무도 없어야 아들에게 출입통제라는 팻말을 설득할 수 있을 텐데~ 하지만 아들이랑 같은 마음으로 뒷동산을 오른 사람들이 많아, 팻말은 무용지물이 되었다고 의기양양 해 합니다. 말은 잘 한다고 볼을 살짝 꼬집자, 아들 아프게 하는 게 취미냐고 하는 발언에 어미는 벙쪄서 비 오는 뒷동산을 웃음꽃으로 채웠습니다. ㅎㅎㅎㅎ

　정상 정자 안에는 아들과 어미 둘뿐이고 건너편에는 커피나눔을 하는 아저씨 한분이 반겨주며 커피 타임이라고 합니다. 때마침 산에 올라온 남편이 함께 차를 마시고 커피값이라며 지갑 털어 헌납을 한 다음 휘리릭 가버립니다. 아버지의 뒷모습을 보며 아들이 말합니다. 뒷동산 통제를 아버지도 어겼다고, 어미에게 걱정을 하지 말라고 하네요. 그러고 보니 그렇습니다. ㅎㅎㅎ

오늘도 어제보다 조금 더 성장한 듯한 또 다른 아들 모습을 보면서 행복한 어미의 미소를 저장합니다.

0714

명당자리

장마철에 잠깐 맑아진 날씨는 아들 기분까지 맑음으로 전환시켜 줍니다. 뒷동산을 오르면서 팔짱을 끼더니 "오늘은 해님이 '승현이 오빠, 오랜만이야~'" 한다며, 해님이 비님을 이겨서 승리의 깃발을 꽂았다고 합니다. ㅎㅎㅎ 어미가 '승리의 깃발을 어디에다 꽂았느냐'고 짓궂은 질문을 하자, "승현이 마음이 명당이지." 라고 대답합니다. 어미가 놀라움을 숨길 수 없어 참으로 멋진 명답이라고 하니, 어미 아들이 멋지긴 하답니다. 으쓱으쓱, 모션까지 취하면서 어제는 기분이 다운이었지만 오늘은 새초미(토끼)와 함께 하니 최고의 기분이라며 이것이 참 행복이라고 하네요.

룰루랄라 기분 좋은 산행길에 이쁜 아주머니들을 만났습니다. 아들의 기분을 살펴주고 무술 공연을 요청해 주는 좋은 만남이 어미에게는 힘이 되곤 하는데, 딸랑구 책까지 탐독한 듯 칭찬을 아끼지 않습니다. ㅎㅎㅎ 어미도 으쓱으쓱~ 아들이 작업한 여의봉과 클레이 작품 사진까지 보여주며 자랑을 했더니, 클레이와 열두 동물 인쇄까지 해준 딸랑구도 대단하고, 손작업을 끊임없이 하는 아들도 대단하다고 합니다. 칭찬을 마르고 닳도록 듣고 돌아서는 아들이 손 인사까지 나누고, 인생은 이런 것이라며 행복이란 별거 아니고 이런 만남이 행복이랍니다. 어미 고개는 절로 끄덕이며 "어미 아들이어서 고마워~" 하는데 알 수 없는 눈물이 핑~ 참 행복의 의미를 담으며 오늘을 저장합니다.

0720

말 솜씨

요즈음 아들 말솜씨에 어미가 깜놀하며 행복해했던 몇 가지 예를 이야기를 해보려 합니다.

어미와 아들이 50m의 간격을 두고, 아들은 아들 대로 어미는 어미대로 아들을 바라보며 기다려주는 놀이입니다. 아들 혼자서 아저씨가 두 분이 앉아있는 벤치 앞에서 인사를 하고 무술을 하는 듯하더니, 몇 마디 주고받습니다. 그런 다음 인사를 하고는 어미에게로 뛰어옵니다. 아들이 "엄마, 저 아저씨 딸이 예쁘다고 소개해 줄 것 같아. 엄마 아들 장가가게 생겼네?!" 하더니 '이제 엄마 고생 좀 덜어주게 됐다' 합니다. 어미가 그러냐고 응수해 주면서 결혼하면 아들 색시랑 뒷동산에 오냐고 물으니 답이 없이 생각에 빠집니다. 그러더니 ○○가 있어서 안 되겠다 합니다. 해서, ○○는 이미 결혼을 해서 괜찮을 것이라고 했더니 그래도 아니라고 합니다. '일편단심 민들레 고승현이 어미 아들'이 라면서 일단락되었습니다.

다음은 선풍기 바람 이야기입니다. 우리 집은 뒷동산 바로 아래에 위치한 아파트 고층입니다. 한여름 밤에도 잠 못 이루지 못하는 날 없이 바람이 잘 통하지요. 아들이 '우리 집은 바람이 에어컨'이라고 노래를 하곤 하지요. 그래도 한낮에는 선풍기를 이용하는데, 저녁쯤에는 아들이 열어 놓았던 창문도 닫고 선풍기도 꺼버립니다. 나름 하루를 정리함인가 봅니다. 그래서 아들 뒤를 따라다니며 다시 창문을 열고 선풍기를 켰더니 "엄마, 선풍기도 쉬어야지~" 합니다. 덥다고 하니까 이번엔 "더우면 더운 대로 조금 참을 줄도 알아야지" 합니다. "아들~! 엄마 좀 살자~ 미안해!" 하며 아들을 애잔하게 바라보고 부탁을 하니 그제야 양보를 한다고 하네요. 선풍기 바람 쐬기가 이렇게 힘들 줄이야.

다음은, 뒷동산을 오르면서 아들이 "엄마, 오늘같이 더운 날에는 수박을 반으로 쫙~ 쪼개서 화채를 해 먹으면 더위는 저멀리 도망을 가지이~" 합니다. 아들 말이 시원한 계곡에 둥둥 떠 있는 수박을 연상하게 하여 어미 입가엔 미소 가득입니다. 그래서 어미가 "아들! 그러면 지난번에는 엄마가 샀으니 이번엔 아들이 살래?" 했더니 돈이 없다며 어미가 계속 사라고 합니다. ㅎㅎㅎ 아니, 아들이 어미보다 부잔데 돈이 없다니 뻥치지 말고 사라고 하니까 수박 살 돈은 없다고 합니다. 매달 연금이 들어오지만 돈이 없답니다. 결국 마트에 갑니다. 그리고는 "에어컨의 위력은 이런 거지~" 하며 아들이 양 팔 벌려 서 있자, 마트 사모가 "승현아, 지난달 전기요금이 엄청 많이 나왔어~" 합니다. 그러자 아들이 현금 카드를 만지작거리면서 "걱정하지 마, 내가 전기요금 내줄게." 하지 않겠어요? 해서 어미가 "수박 살 돈은 없다며?" 하니, 어미를 밀어내고 사모랑 주거니 받거니 하는 아들. 그런 아들을 바라보는 어미 입가엔 싱글이 벙글이 행복 만땅입니다.

0721

해결

"안녕하세요~"

정상 정자 안으로 들어서면서 어미가 건너편 커피 타임 아저씨들께 목청껏 인사를 합니다. 이방원 아저씨가 "안녕!" 하고 아들에게 인사를 건네지만, 아들은 픽 웃는 얼굴로 정자 안으로 들어가 버립니다. 아저씨가 "인사 안 받아주면 삐친다!" 소리칩니다. 아들은 대답 대신 어미에게 아들은 약속을 지켰다면서, 이방원 아저씨는 약속을 지켰는지 확인하고 오랍니다.

지난 금요일, 아저씨가 아들에게 머리 자를 때가 되었다면서 월요일에 이발하고 화요일 날 만나자고 했었는데, 아들은 싫은지 시큰둥해서는 "아저씨나 깎든지 말든지~" 시전을 했었죠. ㅎㅎㅎ 일요일에 뒷동산 코스 놀이를 끝내고 집으로 향하는 길목에서 어미가 "미장원에 손님이 없으면 머리 자를까?" 물었습니다. 그러자 아들이 미장원 방향으로 가는가 싶더니, 되돌아 집으로 방향을 틀고는 월요일 날 깎자고 했습니다. 아저씨가 했던 말을 기억한 듯하여 아들 마음대로 하라고 응해주며 아들 따라 집으로 골인했지요.

아니나 다를까, 월요일에 미장원으로 들어서니 원장님이 반기며 앉고 싶은 자리에 앉으라 하자, 가운데 자리에 털썩 앉습니다. 순조롭게 머리를 깎는데 파마를 하던 두 아주머니 중 한 아주머니가 딸이랑 함께 학교를 다녔노라 합니다. 어미가 "우리 아들이랑 동창인가 보네요~" 하며 두런두런 이야기를 나누는데, 옆에 있던 다른 아주머니가 '어미가 고생'이라는 말을 합니다. 어미는 못 들은 척 딴 방향으로 말 꼬리를 돌렸지만, 아들이 머리 깎기를 거부하며 몸에 두른 것을 벗어 버리고 휘리릭 나가버립니다. 자른 머리를 털어내야 한다고 했지만 어쩌지 못해 계산을 하면서 아주머니께 말씀드렸지요. 아들이 '어미가 아들 때문에 고생한다'는 말을 받아들이지 못하고, 아들은 '부모가 자식을 위해서 하는 희생은 당연한 것'이라고 한다는 짧은 설명을 한 다음 집으로 향하는데, 아들은 마트 쪽으로 가고 있습니다. 아들을 따라가서 살피니 미장원 원장에게 줄 간식을 챙겨 들고 다시 앞서가버립니다. ㅎㅎㅎ 아들을 만나자 "엄마, 내가 다 해결했어." 하기에 원장님을 쳐다보았습니다. "아까는 미안했다며 맛있게 먹으라고 하네요." 하며 인사를 합니다. 아들은 스스로가 해냈다고 뿌듯해하며 으쓱으쓱하고, 그런 아들에게 엄지 척을 해줬습니다.

    으쓱했던 아들의 기분은 오늘 이방원 아저씨 앞에서도 재현되어 아들이 먹던 아이스 빠삐코를 넘겨줍니다. ㅎㅎㅎ 아저씨가 고맙다며 받아들기에 어미가 슬쩍 되받았습니다. 아들의 마음을 이해하고 기분 좋게 인생길을 안내해주는 아저씨의 따뜻한 마음에 어미는 오늘도 고맙습니다. 아들의 무례함에도 박수 쳐주며 응원해주는 커피 아저씨들, 그리고 만나는 사람마다 전해주는 따뜻함과 살 만한 세상에 "고맙습니다~" 하고 소리쳐 봅니다.

0725

8월

통큰 아들

일요일이면 딸랑구가 집에 오는 날. 얼굴 보고 저녁밥을 먹은 다음, 어미를 엎드리게 하고는 등에 올라타서 최고급 마사지를 하며 일주일간의 이야기로 꽃을 피웁니다. "딸~ 뭔느메 모기가 일자로 쪼로록 물었나 몰라~" 하니 "어디? 모기가 아닌 것 같은데~?"라고 마무리됐던 이야기는 다음 날 이른 아침 "엄마, 모기가 아니라 빈대가 물은 건가 봐!"로 이어졌습니다. 어미 방 매트리스는 원래 공기를 이용한 에어 매트리스였는데 공기가 빠져 흐물흐물 제 역할을 못 하기에 교체했었지요. 결혼할 때 만들어온 목화솜 이불과 요를 덧깔아 사용했기에 빈대는 아닐 것 같지만, 혹여 하는 생각에 이불 홑청을 벗기고 또 다른 요까지 세탁하며 분주한 하루를 시작했습니다.

이 기회에 매트리스를 새로 장만하자 싶어, 남편은 접이식으로, 어미는 퀸사이즈 매트리스로 마음을 먹었습니다. 계산은 각자 할까 하다가 남편에게 떠넘기려 하는 순간, 아들이 옆에서 "내가 사줄게." 합니다. "오! 아들이~!!" 하면서 어미는 헤벌쭉 좋아라~ 하고 아들은 "아들 뒀다 뭐해~ 이럴 때 아들 덕 좀 봐야지." 합니다. ㅎㅎㅎㅎ 그래서 뒷동산에 오르면서 만나는 사람마다 어미는 좋아라 자랑을 합니다.

"있잖아요~ 우리 아들이 매트리스를 새로 사준대요. 우리 아들 멋있죠?"

"아~ 네, 멋진 아들 맞죠. 좋으시겠어요~ 효자 아들이라서."

"그러니까요~ 당연한 일상 같은 매일 속에서 소소한 행복을 만끽하고 사는 사람은 오로지 나 하나지 싶답니다~"

으쓱으쓱 호호홍 볼 빨간 어미 모습에 아들이 "그렇게 좋아?" 묻습니다. ㅎㅎㅎ "참 좋아~ 근데 아들 돈을 자꾸 써서 어떡해?" 답하니까 우리 아들 왈, "엄마, 돈이란 쓰라고 있는 거야." 어미가 가던 길을 멈춰 서서 "우리 아들 너무 멋진 명언을~!!" 하며 안아주니 덥다며 엄마 아들은 언제나 멋지고 통 큰 남자라고 하네요. ㅎㅎㅎ 행복한 일상을 저장합니다~

0801

초가삼간

모기 물린 자국이 아닌데 뭐지? 로 시작해서, 혹시나 싶어 매트리스를 교체하여 마무리되나 했는데, 만약 빈대라면 그냥 세탁으로는 안 되고 꼭 고온으로 건조까지 해야 한다고 합니다. 요즘 같은 때 빈대라니 의아해하던 중, 남편이 방역업체에 전화 문의를 합니다. 업체에서 혹시 외국에 다녀왔느냐고 묻는 바람에 의문이 풀렸습니다. 딸랑구도 아버지가 외국 여행을 다녀온 다음이니 빈대가 맞을 듯싶다고 하여, 다시 모든 이불과 매트리스 커버까지 차에 싣고 빨래방을 왔다 갔다~ 고온으로 건조기를 돌리며 "빈대가 초가삼간을 태운다더니, 참나, 원~"이라고 툴툴거려 봅니다. 허나 빈대의 흔적은 없고, 오늘은 어미 팔의 가려움도 사라졌으니 초가삼간은 지켰고, 덕분에 가을걷이 하듯 이불이며 커튼 등 세탁 한번 잘 했습니다.

어미의 반란 같은 소동은 끝나가고 아들의 뒷동산 코스 놀이는 또 다른 오늘도 출동합니다. 헌데, 어제 뒷동산 코스 놀이 중 만난 한 아주머니가 어미 등에 있는 배낭을 든든한 아들이 메고 가게 하랍니다. ㅎㅎㅎ 어미가 웃으면서 초등학교 도덕책인지 국어책인지는 모르겠지만, 당나귀를 타고 가는 아버지와 아들 이야기가 생각이 나서 웃었지요. 어미가 메고 가는 게 속 편한 선택이긴 한데, 날이 너무 덥기도 하고, 오늘은 아들이 배낭을 메겠노라고 합니다. 아들 귀가 보배라고 볼을 꼬집어 주며 어미가 메도 괜찮으니 자유롭게 활보하라니까, 독일 병정이 되어 힘차게 뒷동산을 오릅니다.

그 아들 뒤를 따르며 오늘의 행복을 저장합니다.

0807

배낭

"엄마, 배낭 내가 메고 갈까?"

"더운데~"

"더워? 괜찮아~ 내가 힘이 세니까!"

그래서 오늘 드디어 바톤 체인지! 어미 등에서 아들 등으로 배낭이 옮겨갔습니다. 2~3일 동안 정상 커피 아저씨들께 "너가~" 또는 "이것들아~!" 등 함부로 말하는 아들에게 목소리 톤을 높이고 힘주어 야단을 쳤습니다. 아들이 뿔이 나서는 딸랑구에게 가버리라고 소리 지르며 휘리릭 가버렸지요. 아저씨들께 죄송하다 하니 괜찮으니 아들 마음이나 풀어주라 했습니다.

그렇게 이틀 동안 실랑이를 하다 어제 딸랑구가 집에 오자, 아들이 "동생아, 엄마 데리고 가라." 합니다. 딸랑구가 '여자끼리 남자끼리 따로 살면 되겠다'며 좋아했지요. ㅎㅎㅎ 딸랑구가 돌아간 다음, 어미가 아들에게 뒤끝 한번 고약하다며 가슴 넓은 아들이 품으라니까 '아들 없는 세상에서 살아봐야 소중함을 아는 법'이라며 '가라 할 때 가지 왜 못 가냐'고 이죽거리더니 '아들 꿈꾸며 잘 자라'는 인사를 합니다.

그러다 오늘, 아들의 반란은 배낭이 옮겨가는 것으로 멋지게 끝인가 했는데, 뒷동산 코스 놀이 첫 번째 벤치에서 어미 등이 허전하지 않느냐고 히죽히죽 웃으며 배낭을 다시 어미 등에 메어줍니다. ㅎㅎㅎ 다시 원위치냐니까 돌고 도는 게 인생이라네요~

여러 만남들

뒷동산에서 만나는 어르신이 아들을 만나면 "어이, 조카님! 힘 있게 걸어야지~" 또는 "나는 누군가, 자신을 알아야 엄마가 없는 세상과 대적을 하지~" 등등 많은 말을 들려주려 합니다. 아들도 처음엔 명심하겠노라고 답하더니, 반복되는 만남이 싫은지 거부를 하면서 슬그머니 피하길래 보다 못한 어미가 어르신께 아들 상황을 설명하면서 아들의 마음도 전했습니다.

그런가 하면 아들에게 반갑게 큰 목소리로 "승현 씨! 반갑습니다!" 인사를 건네며 아들을 대해주는 젊은 아주머니도 있습니다. 처음엔 어미와 눈인사를 하다가 어미가 건네준 책을 읽고 난 다음에는 아들에게 접근 시작입니다. "안녕하세요~" 하니까 '말로만 하지 말고 행동과 함께 반갑습니다로 하라'는 아들 주문에 따라 큰 목소리로 아들 이름을 부르며 다가와 주지요. 그 만남이 어미에게는 힘을 주고, 아들에게는 또 다른 부대낌을 보여주는 멋진 모습인 것 같아 뿌듯합니다.

그밖에, 아들에게 무술을 보여 달라고 주문을 하는 '이쁜 아주머니 세 사람(아들이 지어준 이름)'들은 "오랜만이지요, 궁금했어요. 무술 부탁해요. 오늘은 무슨 날인가요? 기분은 어떤가요?" 등등 여러 말을 건네며 아들과 함께 해주는 정겨움이 있습니다. 이런저런 사람들 속에서 어제보다 오늘 좀 더 커가는 아들을 보면서 더불어 살아가는 세상의 아름다움을 저장해 봅니다.

또 하나 아들의 다른 모습으로, 배낭을 대신 메고 출발해도 아파트 단지에서 벗어나면 곧바로 어미 어깨로 다시 돌아오곤 했지요. 그러더니 오늘은 뒷동산 정상에서 집으로 돌아오던 중간쯤 계단 길에서 말없이 어미 등에 있는 배낭을 아들이 메면서 "늙은 엄마 생각을 누가 하겠어, 아들이 해야지. 안 그래?" 하더니 어미는 행복한 거라며 승현이 같은 아들이 어디에도 없다고 합니다. ㅎㅎㅎ 얼떨결에 배낭은 아들 등으로 옮겨지고, 어미는 세상에서 가장 행복한 사람으로 승진입니다. 내일은 어떤 모습으로 이어갈지는 모르나, 일단 오늘은 최고의 날로 저장합니다.

0821

배낭은 누가 메나

매일 똑같은 일상인데, 오늘은 순서가 뒤바뀌어 분주하게 왔다리 갔다리 했습니다. 허둥대는 어미를 바라보던 아들이 배낭을 둘러메고는 서두르지 말고 천천히 나오라며 현관문을 열고 먼저 나갑니다. 부리나케 아들 뒤를 따라 내려가면서 빠진 게 없나 숫자를 세듯이 생각을 해봅니다. 부채를 놓고 오고, 모기가 싫어하는 거라며 파스 바르듯 목과 팔에 바르라고 딸랑구가 사다 준 뭐시기를 잊었습니다. ㅎㅎㅎ 다시 챙기려 하니 그냥 가자는 아들이랑 뒷동산으로 출발~ 등이 시원하여 발걸음이 가벼워 날아갈 것 같다고 하니, 아들이 행복이 넘친다고 합니다. 어미가 아들 말이 맞다고 투스텝을 밟으면서 "나는 행복합니다. 나~~는 정말 정말 행복합니다~♬" 흥얼거렸더니 아들이 꼭 어린애 같다면서 그만하고 갈 길이나 가자네요. ㅎㅎㅎㅎ

정상에서 무술 공연을 하고 집으로 향하면서 아들이 배낭을 어미 어깨에 메어줍니다. 그러자 커피 아저씨들이 "건장한 아들이 메야지~" 합니다. 아들이 벙쪄서는 마지못해 메고 내려오다가, 첫 코스 평상을 돌고 어미에게 오더니 "엄마, 올라올 때는 아들이 메고 왔잖아. 그러니까 내려갈 때는 엄마가 메고 가야 공평한 거야." 합니다. ㅎㅎㅎ 그래서 배낭이 다시 어미 어깨로 넘어왔습니다. 두번째 코스인 벤치에 앉아 쉬고 있는데 정상 커피 타임에 함께 하는 아저씨를 만나 다시 한번 누가 배낭을 메야 할까를 토론합니다. 아들이 옳은 원칙을 강하게 어필하고, 아저씨는 동등하지 않은 이유라며 '어미가 나이가 많고 아들이 힘이 세니까 아들이 메고 가는 게 맞다'고 합니다. 결국 어쩌지 못하고 배낭은 또다시 아들 어깨로 넘어갔건만! 열 발자국이나 움직였을까? 아들이 불공평하다며 힘든 오르막길을 아들이 메고 왔으니, 가벼운 발걸음의 내리막길은 어미가 메는 게 맞다며 끝내 어미에게 넘깁니다.

왔다리 갔다리 했지만 아들이 생각을 하고 나름의 원칙을 주장하는 모습이 뿌듯해서 '최고의 아들, 멋지다'고 엄지 척을 해주는 오늘도 잘~ 살았습니다.

0823

하루 쉴까?

"엄마! 비 오는데 하루 쉴까?"

오잉! 뭐시라?! 다시 물으니, 아들이 싱글거리며 '비가 오니 하루 쉬면 어떠한가'를 물었노라고 하기에 '정말이라면 정말 땡큐!'라고 답했습니다. 아들과의 대화를 들었는지 남편까지 합세를 합니다.

"아들이 한 말이 정말이면 내가 점심을 쏠 테니, 엄마 좀 쉬게 해 주자."

밥 먹으면서 어미를 떠보려 던진 말에 아버지의 반문까지 이어지자, 아들이 벙쩌서는 아무 대꾸 없이 씨익 웃습니다. 그러더니 어미에게 "엄마, 승현이 형아는 쉬고 싶다고 하는데, 오늘의 주인공인 마초가 형아랑 뒷동산 데이트를 포기할 수 없다고 졸라." 묘책이 궁색하지만 그럴듯해서 승현이 형아의 생각을 물었더니, 아들이 우산을 쓰고 가면 될 것 같다며 앞서 나갑니다. 그리고는 엘리베이터 앞에서 "엄마, 그 대신 배낭은 내가 메고 갈게" 하며 어미 등에 있는 배낭을 벗겨 아들이 메고 출발합니다. ㅎㅎㅎ

  헌데, 아파트를 벗어나기 전에 비바람이 거세, 배낭에 있는 여벌옷 잠바를 꺼내 입혀주니 배낭이 가벼워졌다며 어미 등에 다시 배낭을 메어줍니다. "에라이~ 똥강아지 같으니라구!" 어미 말이 끝나기도 전에 아들은 푸하하하 웃어대면서 "세상이 다 그런 거야~" 하네요.

  요란하게 시작된 뒷동산은 한적하니, 어미와 아들의 독무대입니다. 어쩌다 마주치는 몇몇 분과 인사를 나누며 스산함까지 느껴지지만, 아들과 함께라는 든든함 때문에 즐길 수 있는 여유로움을 맛봅니다. 평상이 있는 공터에서 아들은 혼자 운동을 하고 어미는 기다려주곤 했는데, 3일 전부터 아들 곁에서 맨발 걷기에 도전했습니다. 첫날은 으아악 소리가 절로 나왔지만, 그다음 날부터는 걸을 만했고, 아들이 곁에서 바퀴를 세며 한 바퀴만 더 돌면 열 바퀴라고 응원 같은 메시지를 주곤 합니다. 헌데, 오늘은 아들이 동생이 맨발로 걷는 거 하지 말라고 하지 않았느냐고 합니다. 어제는 딸랑구가 집에 오는 날이었는데, 어미가 3일째 맨발 걷기를 하고 있노라고 하니까 다치면 큰일난다며 하지 말라고 하더군요. 그러다 하려면 조심히 하라고 하던 이야기를 아들이 기억하고 한 말입니다.

"엄마, 딸이 하지 말라고 하면 들어야지. 어? 왜 동생 말을 안 들어?"

아들은 어미 팔을 잡고 강하게 어필하면서 그만 집으로 가자고 합니다. 어미는 물수건으로 발바닥을 닦고 양말과 운동화를 신었습니다. 딸랑구는 조심히 하라고 했지만 아들이 하지 말라고 하니 오늘은 끝~! 집으로 돌아가는 길에 딸랑구 전화가 와, 아침부터 지금까지의 상황을 브리핑하며 웃어보는 오늘도 잘 살았습니다.

동생 팔기

오늘도 비 오는 뒷동산으로 여지없이 출발합니다. 비가 오니 나란히 갈 수가 없어 아들 뒤를 따라가며 아들의 수다를 경청하는데, 마주친 아저씨가 "오랜만이야~" 합니다. 늘 만나는 사람이려니~ 생각하면서 아들이 "오랜만은 무슨!!" 하기에 어미가 나섰습니다. "예, 안녕하세요~" 하니까 아저씨가 '아들 표정이 많이 달라졌다'고 말합니다. 아저씨는 자전거를 타기에 비 오는 날과 겨울에만 산을 찾아오는데, 올 때마다 달라져 있는 아들의 모습이 보기 좋다며 아들에게 또 만나자는 인사를 하고 지나쳐 갔습니다. 헌데, 아들은 뿔이 나서는 "또 만나긴 뭘 또 만나?! 오랜만 같은 소리 하네." 등등을 주절거리며 성질을 부립니다. 아마도 달라졌다는 말을 의식한 듯싶습니다. 칭찬으로 받아들이기보다는 어딘가 부족함을 전제하는 말로 인식하지 않았나 싶네요. 어미는 모른 척, 아들에게 뒷동산 연예인을 만난 반가움과 아들을 향한 관심의 표현인 것 같다고 하니까 히죽 웃으며 "비웃는 건 아니지?" 묻습니다.

잘 넘겼나~ 했더니만, 정자 안에 앉아있던 아주머니가 아들을 반기며 무술 공연을 보여 달라는 주문을 합니다. 아들은 못마땅한 듯 찌푸린 표정을 지으며 싫다고 하더니, 결국 슬그머니 일어나 폼을 잡고 "자축인묘~" 하며 여의봉을 휙휙 휘두릅니다. 그렇게 풀어진 아들이 어미와 아주머니 수다에 끼어들면서 주절거리고, 아주머니가 자리를 뜨려 하다 무언으로 붙잡는 아들의 마음을 눈치채고 같이 가고 싶으냐고 물으니 아들이 고개를 끄떡입니다. 어미는 안 간다고 하니까 정자 안에서 기다리라며 아주머니를 따라가는 아들을 바라보고 이건 뭐지? 하는 떨떠름한 기분으로 낯선 상황을 받아들입니다. 5분에서 10분 사이, 정상을 갔다 되돌아온 아들을 어미가 큰 소리로 부르며 맞이합니다. 헌데 아들은 어미를 '모르는 사람'이라며 히죽히죽 웃고, 아들만 둘이라는 아주머니 왈, "아들이 여동생을 주겠다며 딸 하라고 하네요." 합니다. ㅎㅎㅎ "아니. 엄마 딸을 주면 엄마는 어쩌라구?" 하는데 때마침 딸랑구에게 전화가 옵니다. 상황을 전달하고 아들을 바꿔주는데, 전화 연결이 잘 안 되는 곳이라 끊어져 버렸습니다. 아주머니와 다음 날 또 만나자는 인사를 나누고, 뒷동산 코스 놀이를 끝낸 다음 집으로 고고씽입니다.

딸랑구가 올가을에는 어미 집 근처로 이사 올 계획이 있어 다시 전화가 와, 부동산에서 알아본 몇몇 집이야기를 하는데 아들이 바꿔 달라고 합니다.

"동생아, 내가 산에서 아주머니를 만났는데 거기 아들만 둘이래. 너 그 집으로 시집가라."

꽥!! 거리는 딸랑구의 소리가 전화기 너머로 들려오네요. ㅎㅎㅎㅎㅎ 웃고 웃는 오늘도 행복입니다.

9월

엄마 나 여기 있어

딸랑구는 집에서 출발했노라고 하고, 아들은 "엄마, 나 여기 있어~" 말해줍니다. 우리 집은 초비상입니다. 어제 뒷동산을 다녀온 다음, 동네 안과에서 어미가 백내장 수술을 받기 위해 병원으로 출발했습니다. 한 달 전부터 정해진 날짜였고, 어미 스스로 아무것도 아니라고 주입해 보았지만 속은 불편하고 몸은 절로 긴장됩니다. 아들이 걱정하지 말라며, 함께 가서 손을 꼬옥 잡아주겠노라 합니다. 헌데, 병원으로 출발하려는 어미에게 열두 동물 중 아들의 분신인 뭉치가 어미를 따라가 손을 잡아줄 터이니 잘 하고 오라고 합니다. 남편이 '아들이 가야지, 응? 옷 갈아입으라'고 하니 아들이 쭈뼛쭈뼛 어쩌지 못하고 있는데, 때마침 딸랑구가 삐리릭 문을 열고 들어섭니다. 아들 입이 헤벌레 벌어지며 안도의 숨을 쉽니다.

병원에 대한 트라우마로 병원을 거부하는 아들이 함께 해주겠노라는 마음만을 가슴에 담고 병원으로 들어섰습니다. 아고~ 그런데 미리 처방받았던 약품들을 수술하러 올 때 가져오라는 걸 깜빡했습니다. 결국 남편이 다시 가지러 가고, 어미는 수술 전

검사를 하면서 이미 초죽음이 되어 말문이 막혀버렸습니다. 그런 어미의 생각을 돌려보려고 딸랑구가 이사 올 집들에 대해 여러 이야기를 하는데, 귀도 접혔는지 딸랑구 입 모양만 들썩거립니다.

조옥화 씨! 부르는 소리에 가슴이 철렁! 10여 년 전 아들이 수술장으로 들어가는 모습과 겹쳐지면서 벌렁거리던 가슴도 멈추고, 아들 생각에 먹먹함이 밀려 들어와 움직여지지 않는 몸뚱이와 정신 줄을 꼬옥 붙잡아 보았습니다. 몇 시간은 흐른 것 같았는데 딸랑구 말로는 수술실 들어가고 40분 만에 나왔다고 합니다. 어찌 됐든 수술은 끝났습니다. 다음 주에 나머지 한쪽 눈을 해야 하는데 일단 나온 것만으로 머릿속은 텅 비어버렸네요~

0901

밝은 세상

어스름한 분위기가 좋은 세상에서 밝은 미래가 보이는 듯한 세상으로 껑충 뛰어봅니다. 지난주에 이어 이번 주 다른 한쪽 눈까지 백내장 수술 완료했습니다. 딸랑구 얼굴에 주근깨까지 보입니다. ㅎㅎㅎ 지난 한 주 동안 딸랑구가 준비해준 보안경을 쓰고, 이마에는 땀 흐르지 말라고 붉은 띠를 두르고 뒷동산을 올랐습니다. 그러자 여기저기서 으쌰으쌰 하며 무엇을 이루기 위한 궐기 대회냐고 하면 밝은 세상 보기 운동이라고 답해주었지요.

계단 길을 내려올 때면 아들 어깨를 잡고 엘리베이터라고 했는데, 혹여나 눈에 충격을 받을까 봐 조심조심 걸어주는 아들의 마음 씀에 뿌듯해 했습니다. 시간 맞춰 복잡한 안약 넣기를 차근차근 체크해 가며 잘 보냈는데, 또 한 번 나머지 한쪽 눈을 수술하려 하자 안도와 순간의 번거로움까지 기억한 몸이 아우성을 합니다. 머리 감기는 딸랑구가 준비해준 드라이 샴푸와 수건을 꼭 짜서 머리와 두피를 꼭꼭 눌러주며 닦아주고, 세수는 고양이처럼 볼과 입 주변만 하면서 그래도 원시인보다는 좋은 세상이지 했습니다. 이제 이 과정을 일주일만 되풀이하고, 4주 동안 안약 넣기만 잘 하면 룰루랄라 밝은 세상에 날개를 달고 많은 것을 눈에 담아 보렵니다. 딸랑구 주근깨는 예쁜 매력점으로 덮어주고, 세상의 어두운 그림자는 밝은 세상의 아름다움으로 그려가면서 아들과 멋진 추억놀이를 하겠지요.

딸렁구! 어미 옆에서 든든한 보호자 역할 고마웠고, 우리 아들랑구 수술 부위가 잘못될까 봐 살금살금 걸어줘서 고마웠어.

이 세상에서 가장 행복한 사람이 누구냐고 물으면 1초의 망설임도 없이 "저요, 조옥화입니다." 답해보면서 오늘을 저장합니다.

0908

구석구석 청소

병원에 대한 두려움 때문에 말없이 매일을 보내다가 페북 친구 종화 님 말을 듣고 가족들에게 고백을 했습니다. 온 식구가 총동원(아들은 분신만 동참)하여 집 근처 안과를 찾았더니, 더 늦으면 아니 된다며 즉시 백내장 수술 예약을 하였지요. 기다림의 시간은 긴장의 연속이었지만 이 또한 지나고 나니 지나가는 바람이 보입니다. ㅎㅎㅎ 괜시리 싱글벙글 구석구석에 쌓여있는 먼지를 닦아내며 '이 먼지 속에서 숨 쉬며 살았다구~?' 어미 혼자 구시렁거립니다. 그러다가 떨어진 커피를 사러 마트로 향해 현관문을 나서는데 아들이 따라나섭니다. 마트에서 이것저것 집어 들고 계산대에 섰는데 아들이 계산을 하겠노라고 합니다. 해서, 오늘은 어미가 아들 우유까지 계산하겠노라고 했더니 아들왈,

"아니 아니 아니~ 아들이 계산할게. 모두 얼마예요?"
"아고~ 울 아들 거덜나겠네. 고마워~"

계산대에는 아들 우유값만 계산하라는 신호를 보내고, 변화된 아들 모습이 자랑스러워 딸랑구에게 전화를 했습니다. ㅎㅎㅎ 어제보다 오늘, 아들 세상으로 군림하는 모습에 박수를 보내면서 오늘도 잘 살았습니다.

0912

번거롭게

"아아~ 잊으랴 어찌 우리 그 날을~ ♪"

그다음은 생각이 안 난다고 하니까, 아들이 죽을 때가 다 되었냐며 민족 해방은 8월 15일이고, 오늘은 9월 15일이라고 합니다. 순간 뭐지?? 생각의 혼돈에서 빠져나오니 그제야 9월이 인식되고, 어미는 아들에게 늙으면 어쩔 수가 없는 것 같다며 늙으면 죽는 게 맞다고 했습니다. ㅎㅎㅎ 그러자 아들이 어미는 아직 이팔청춘이라며 정신 차리라고 하더니 점심은 오랜만에 순대라고 하네요. 능청스럽게 어미 마음을 휘저어 놓는 우리 아들이 '번거롭게 순대 먹고 싶다고 해서 미안하다'고 덧붙입니다. 이제 말 시작하는 애기를 보는 듯 행복한 마음이 가득입니다. ㅎㅎㅎㅎㅎ

0915

죽을 운명

"엄마! 내가 아무래도 죽을 운명인가 봐."

아들의 아침 인사치고는 너무 철학적입니다. 다급하게 왜냐고 물으니, 문득 그런 생각이 난다며 아침 작업이나 하겠노라고 말꼬리를 돌립니다. 그러라고 답해주면서 다시는 엉뚱한 생각으로 어미 가슴 철렁하게 하지 말라고 당부를 했습니다. 알았다고 하더니

"우리 엄마는 아들이 최고의 행복이니까 가슴이 무너지긴 했겠네." 합니다. "어이구, 아들아~" 할 말을 잃었습니다.

그런가 하면, 뒷동산 코스 놀이를 하다 만나는 사람들이 어미에게 커트 머리가 어울린다며 훨씬 젊어 보인다. 라는 인사말에 아들이 한마디 합니다.

"우리 엄마는 원래 이쁘거든?!"

그리고는 아들한테나 관심을 가져보라고 하더니 어미에게 계단 길로 오르라고 심통을 부립니다. 다리가 아파 아들 말을 따르지 못하겠노라고 하자 힘으로 어미를 밀어내려 합니다. 그 순간, 밀리는 듯 뒷걸음질 치며 "아들!" 하고 힘주어 큰 소리로 부릅니다. 아들이 멈칫하는 사이, 어미가 앞서 휘리릭 지나치니 심통이 하늘만큼 나서는 구시렁거리며 코스 놀이를 합니다. 성난 얼굴로 정상 정자 안으로 들어서는 아들을 이방원 아저씨(아들이 붙여준 이름)가 반갑게 맞아줍니다.

"아들 표정이 왜 그래~ 아니, 누가 우리 아들을 화나게 했어?!"

어미가 슬그머니 자리를 피해 줍니다. 사람의 마음을 읽어내듯 벌러덩 벤치에 누워있는 아들 앞에 마주 앉아, 아들 코도 만지고 고추도 만지면서 아들을 웃게 하는 마력을 부립니다. 어미가 커피를 타가지고 아들에게 건너가니 어느새 풀어진 아들이

"친구야, 고마워~" 합니다. 어미는 오늘도 덕 받으시라는 인사로 고마움을 전합니다.

꽤나 오랜 세월을 하루도 빠짐없이 오르다보니 이렇게 어우러져 가고 있습니다. 봉화산에서 아들을 모르면 간첩일 지도요! ㅎㅎㅎ

0919

보호자 역할

어제는 어미 안과 검진날이라 뒷동산 코스 놀이를 서두르며 집으로 귀가를 하는데 아들이 "같이 가 줄까?" 합니다. 병원에 대한 트라우마가 심각한 아들이 웬일일까 생각하면서 '같이 가주면 어미는 든든하다'고 말해주며 손을 꼬옥 잡았습니다.

그런데 집 근처에 다다르자, 아들이 싱글거리며 어미 혼자 다녀오랍니다. 같이 가기로 했으면 가야지 매번 아들 마음만 가면 어쩌냐면서 아들 손을 꼬옥 잡고 병원으로 방향을 잡으니, 오늘은 수술은 안 하고 검진만 하느냐고 되묻습니다. 안약을 언제까지 넣는지와 수술 자리는 괜찮은지만 보면 된다고 하니, '늙은 부모 모시려니 이 정도는 감안해야겠지' 하며 이런 아들이 어디 있느냐며 어미는 행복한 줄 알라고 합니다. ㅎㅎㅎ 최고의 아들이라고 엄지 척을 해주며 병원 건물로 들어서니 엘리베이터에 붙어 있는 안내판을 보며 2층이네? 합니다. 시력과 안압 체크를 하는 어미를 아들이 졸졸 따라다니기에 "바람 나오는 거 알지? 아들이 했던 거." 어미도 하는 거라니까 피식 웃으며 어미 손과 어깨를 어루만져 줍니다.

의자에 앉아 순서를 기다리는데 아들이 긴장하는 것 같아 간호사님께 아들을 소개시켜 주면서 아들한테 열두 동물 설명을 해주라고 했지요. 아들이 슬그머니 일어나 여의봉을 들고 간호사님 옆으로 가서는 아주 작은 목소리로 설명해 줍니다. 그리고는 혹시 꾸러기 수비대를 아느냐고 물으니, 어릴 때 봤다며 열두 동물 캐릭터 그림이 있는 아들 옷을 보며 기억난다고 호응해 주는 덕분에 아들의 긴장이 풀렸습니다. 의사 선생님을 만나러 진료실로 들어서자, 싫다 하면서도 어느새 어미 옆에 나란히 서 있고 의사 선생님이 아들을 반갑게 맞아주며 "오~ 여의봉!" 합니다. 어미가 별스럽지 않게 했던 말까지 기억하고 있었나 봅니다. 덕분에 아들의 긴장은 사라지고 으쓱해져서는 병원비 계산을 하면서 "쓸만한 아들이지?" 합니다.

어미의 보호자 역할을 잘 해내고 홀가분하게 병원을 나서다가, 떡집에서 아들이 송편을 사자고 합니다. 우리 집 먹을 것만 사려는데 하나 더 손에 들고 계산을 하더니 아들이 어미에게 하나는 간호사 누나들에게 주고 오라 하네요. ㅎㅎㅎ

병원에 대한 두려움이 조금은 씻겨 나가는 시작이길 바라면서, 어제보다 오늘 성장한 아들을 바라보며 오늘을 시작합니다.

0928

10월

지옥이라도

뒷동산으로 출발하기 전 부엌에서 방으로 왔다리갔다리 하는 어미를 아들이 졸졸 따라다니며 주절거립니다. 아들에게 왜 이리 따라다니며 수다를 떠냐고 했더니 아들의 답변입니다.

"엄마가 가는 곳이면 지옥이라도 따라갈 거야~"

아니, 뭐시라구~?! 그래서 천당은 아들이 가고 지옥은 어미 혼자 간다고 하니까 그럴 수는 없다고 하는 아들 답에 어미 입은 함지박이 되어 뒷동산으로 출발합니다.

헌데 아들이 뿔이 나서는 뒷동산 출입금지라고 하네요. ㅎㅎ ㅎ 아들과 껌딱지가 되어 10년을 하루도 빠짐없이 오르다 보니 어미는 기억 못 해도 어미를 아는 사람들과 인사를 나누며, 한 사람 한 사람 어미 기억 속으로 저장합니다. 통성명은 몰라도 기억에 있는 모습이니 "안녕하세요~" 인사를 나누고, 그러다 그들의 삶 이야기를 귀담아 들으며 기쁨을 나누기도 하고, 때론 아픔을 위로하기도 합니다. 그러노라니 아들은 끼어들지 못하고 앞서가는 혼자만의 시간이 되었지요. 그런 아들이 '안녕하세요' 하지 말고 '반갑습니다'라고 하라더니, 이제는 "우리 엄마한테만 관심갖지 말고 나한테 관심 좀 가져 봐라!!" 하고 냅다 소리를 지릅니다. ㅎㅎㅎ 관심을 갖고 인사를 하면 그냥 지나가라고 하면서 웬 투정이냐고 했더니, 이제는 어미에게 인사하고 "이제 제법 쌀쌀하네요~" 하며 이야기를 건네는 말미가 보이면 '할 말이 있다'며 어미를 잡아끌고 코스 이동을 합니다. 그러자 인사를 건네던 상대방이 푸하하하 웃으며 "아들 엄마 안 뺏어갈 테니 천천히 올라가요~" 합니다.

또 다른 모습의 아들을 보면서 관계 개선을 위해 무던히도 많은 마음 씀이 필요하겠다는 생각을 메모합니다.

1006

생일 달

10월은 쌍둥이들이 태어난 달입니다. 늘 10월 달이 시작되면 생일 선물 타령을 하곤 하던 아들이 올해는 달라졌습니다. 딸랑구가 우리 집 근처로 이사 올 계획을 세우고 집을 계약하며 이사 선물 리스트를 짜는 등 분주한 매일을 보내는 요즈음, 생일까지 겹쳐 이야깃거리가 많습니다. 딸랑구가 아버지에게 이사 선물로 신발장을 요구하자, 아들이 "신발장은 내가 사줄게. 오라비 뒀다 뭐해?" 하면서 생일 선물까지 퉁 치자고 합니다. ㅎㅎㅎㅎ 덕분에 우리 집 웃음꽃이 피었습니다. 딸랑구가 아들 생일 선물로는 운동화를 주문했다더니 생일보다 며칠 먼저 도착했습니다. 쨍한 색깔을 좋아하는 아들 취향에 맞춰 다홍색입니다.

　그런가 하면 여의봉 작업을 하던 아들이 가위로 손가락 끝을 베였습니다. 어미를 부르며 입으로 빠는 아들. 소독을 해주고 넓은 밴드로 감싸 묶어준 다음, 피가 멎은 듯하여 좁은 밴드로 교체해주며 아침까지는 떼지 말라고 당부를 했습니다. 아들은 밴드를 붙여 놓으면 굉장히 아픈 것처럼 생각된다며 붙여 놓지를 못하거든요. '알았다'면서 손가락만 보고 있는 아들 옆에서 피 묻은 옷은 세탁기에 넣고 카펫에 묻은 피를 닦는데 아들이 말합니다.

　　"일만 만들어줘서 미안해, 엄마. 앞으로는 조심할게~"

　이 또한 어미 가슴을 뭉클하게 울리는 아들의 변화 중 하나입니다. 그러니 머지않은 날, 세상과의 만남에서도 부드럽고 올바른 말을 주고받을 수 있기를 바라봅니다.

1012

사춘기 소녀

　가을비가 소록소록 내리는 뒷동산으로 오늘도 여지없이 출발하면서 아들이 말합니다.

"비가 밤에만 왔으면 얼마나 좋겠어? 안 그래, 엄마?"

ㅎㅎㅎ 자연의 순리를 어쩔까마는 어미도 바라봅니다. 세상의 모든 법칙이 아들의 원대로 이루어진다면 참 좋겠다는~ 아들이 '비오는 분위기를 즐기자' 하지 않았느냐고 말하며, 아들 우산을 어미 우산으로 툭툭 치면서 '운치 있고 한적하여 어미와 아들만의 세상 같아 참 좋다'고 하니까 늙은 엄마가 사춘기 소녀 같다고 합니다. 무슨 말이든 툭툭 내뱉는 요즘 아들 말솜씨에 어미 입은 함지박입니다.

뒷동산 산책 놀이를 10년을 하루같이 보내다보니 많은 사람들과 인사를 주고받게 되는데 아들이 종종 심통을 부리곤 합니다. 때론 아들에게 관심을 가져 달라 하다가도, 인사 하지 말고 그냥 지나가라는 둥 감정 변화가 심해 어미를 힘들게 하더니, 한적한 비 오는 뒷동산 산책은 아들과 어미만의 정겨운 데이트로 저장할 수 있어 행복합니다.

1019

낳아주셔서

"누나, 엄마가 돌아가셨네…."

10년이 넘는 긴 세월 동안 주사기로 연명하시더니 엄마가 하늘나라로 가셨습니다. 뒷동산을 오르면서 아들이랑 외할머니 이야기를 합니다. "엄마, 우리 집 업둥이(아들이 18년 전 데리고 온 고양이)도 로또와 새별이한테 갔는데, 외할머니는 외할아버지와 이모를 만나겠네." 하면서 "우리 엄마 조옥화도 하늘나라에 가겠지? 그럼 나도 따라가야지, 우린 껌딱지니까." 하면서 어미 손을 꼬옥 잡습니다.

그런 아들을 바라보며 빙긋이 웃어봅니다. 죽음과 삶. 무얼까? 살아 있다는 건 감각을 느낄 수 있고 생각을 그려볼 수 있다는 멋스러운 희망? 엉뚱한 생각에 또 한번 빙긋이 웃어봅니다.

아들을 집에 두고 장례식장으로 가 엄마에게 인사를 하고 돌아서는데 "누나!"하고 오랜만에 만나는 큰 동생이 어미를 끌어안고 울먹울먹합니다. 그리고는 사진을 찍으며 "와! 완전 울 엄마네." 하네요. 신장 때문에 많은 세월 병마와의 씨름으로 망가진 얼굴을 마주하며, 살아 있다는 건 참으로 미로처럼 알 수 없는 마음을 뒤로 합니다. 어느새 어른이 되어 각자의 자리에서 한 몫을 하고 있는 조카들을 올려다보면서는 '참 좋다'고 되뇌어 봅니다.

그런데 잠시 집에 있는 아들에게 전화를 걸어보니 받지를 않습니다. 불안한 마음을 꼭 잡고 집으로 서둘러 왔습니다. 아들이 엘리베이터 앞에 서 있습니다. 어찌 된 일이냐고 물으니 현관문을 열고 나와 택배를 받았는데 문이 닫혔고, 열쇠 목걸이는 목에 없고, 비밀번호를 입력해도 열리지는 않고, 집 전화는 울리지, 정신을 못 차리겠노라고 주절거립니다. 그리고는 현관문을 두드리며 주인을 몰라본다고 툴툴거립니다.

장례 둘째날 뒷동산을 다녀와서 이사 오는 딸랑구 집에 들러 상황을 본 다음, 아들이랑 먼저 장례식장으로 향합니다. 아들이랑 엄마에게 인사를 하고 향을 꽂는데, 아들이 "이계례 할머니, 우리 엄마 조옥화를 낳아주셔서 고맙습니다." 합니다. 순간 벙쪄서 울 아들을 쳐다보니 외할머니가 엄마를 낳아줘서 고맙다구~ 설명해 줍니다. '아니, 이렇게 멋진 생각을 했다고??' 하면서 어미 입은 함지박이 되어 싱글벙글~ 슬픔을 잊었습니다.

장례 셋째 날, 발인은 원주 화장터에서 화장을 하고 양평 납골당에 모시기로 했노라고 하는데, 시작에서 끝까지 남편이 한 몫을 해주어 어미와 아들은 일상의 궤도에서 벗어나지 않고 뒷동산 놀이를 이어 할 수 있었습니다.

헌데, 아들이 오늘도 심쿵한 소리를 합니다. 아버지는 어디 갔느냐고 묻기에 외할머니 장지에 갔노라고 하니까 "갈 걸 그랬나?" 하면서 어미에게 후회하지 않겠느냐고 묻습니다. '진즉 생각을 했어야지, 이미 떠나갔노라' 하니 감동하라고 해본 말이라고 하네요. ㅎㅎㅎ 눈 한번 흘겨주고 뒷동산으로 여행을 떠납니다.

1027

11월

업둥아 안녕~

오늘은 업둥이(딸랑구가 18년 동안 키우던 길냥이)를 묻어주는 날입니다. 아들은 업둥이 사진을 챙기고, 딸랑구는 화장한 업둥이 유골함을 들고, 어미는 호미를 챙겼습니다. 뒷동산 초입 아카시아 나무 아래 먼저 떠난 우리 집 냥이들이 묻혀 있으니 그곳에 묻어주기 위해 어미는 나무 밑을 팠습니다. 딸랑구는 사진을 찍고 아들이 업둥이 유골을 구덩이에 뿌리면서 인사를 합니다.

"업둥아, 로또랑 새별이 만나서 잘 지내고 꿈속으로 놀러 와서 만나자~"

흙을 덮고 발로 꼭꼭 밟아주고는 뒷동산 코스 놀이를 합니다. 아들이 첫 번째 코스인 언덕 아래 공터로 내려가 무술을 하고, 어미는 딸랑구와 기다리며 길냥이 밥을 주는데 한 냥이가 야~옹 하며 다가옵니다. 새별이를 닮은 냥이로, 오랜만에 만났는데도 어미를 기억하는지 손길을 거부하지 않고 눈 맞춤을 하더니 딸랑구의 손길도 좋아라~하며 야옹야옹~ 아들에게도 부비부

비~ 뒤따라온 남편에게까지 살랑살랑 애교를 부립니다. 업둥이와의 이별을 위로하려고 새별이 혼이 환생한 것 같은 마음으로 쓰다듬어주다가 다음 코스로 가려는데 냥이가 따라옵니다. 어디까지 따라오려나 하는 순간, 낯선 아저씨와 마주치니 꽁지가 빠지도록 도망을 칩니다. ㅎㅎㅎ 그 모습을 바라보면서 딸랑구가 "아무래도 새별이가 돌아온 것 같아. 우리 식구들만 거부하지 않고 반기잖아" 합니다.

그런 것 같은 마음으로 아들과 둘이 아닌, 딸랑구와 셋이 함께하니 아들은 심술을 부리지 못하고 어미는 싱글벙글~ 행복한 마음을 저장합니다.

1103

안과 가는 날

"엄마, 오늘은 춥다고 하니까 단디 입고 산에 가자. 그리고 오늘 엄마 안과에 가는 날이야, 알았지~?"

어이구 이거야 원~ 언제부터인가 어미가 아들이 아니라, 아들이 어미를 챙기는 모습으로 달라져 있습니다. 알았노라고 답해주며 어미는 딸랑구가 마련해준 야전 잠바 같은 얇은 패딩을 입고, 아들은 두툼한 조끼를 챙겨 입힌 다음 뒷동산으로 출발합니다.

초입에서 만나는 길냥이가 오늘도 야옹야옹~ 발라당 배를 보이며 어미 손길을 기다립니다. 만져주면서 우리 집에 가자니까 그건 또 싫다고 거부하네요. 이렇게 사람 손길을 타면 어쩌자는 거냐고 어미가 주절주절 혼잣말을 하면서 사료에 캔을 섞어 냥이에게 주었지만, 냥이는 한참을 더 어미랑 놀다가 정신없이 밥을 먹는 모습을 보고 나서야 아들이랑 다음 코스로 이동합니다.

오늘은 아들이 먼저 '안녕하세요' 인사를 하더니, 낙엽을 쓸고 있는 아주머니에게 수고하신다는 인사까지 하면서 살갑게 싱글거려 모처럼 참 좋은 뒷동산 산행길이 되었습니다.

그담엔 안과로 안내하는 아들이 "엄마랑 안과 가는 날은 행복이야. 엄마도 아들이랑 같이 가니까 참 좋은 거 맞지?" 묻습니다. 어미도 아들이 옆에 있어서 두려움도 사라지고 든든하다고 말해주며, 아들 손을 꼬옥 잡고 휙휙 흔들어보는 오늘도 행복입니다.

기도

'우리 엄마, 평온하게 이 세상을 떠나 별이 되어 우리를 내려다보며 빙긋이 미소 짓고 있겠지' 하는 생각을 하면서 행복해하는 요즈음입니다. 헌데, 어미의 엄마가 가장 많이 품으려 했던 우리 조카(둘째 동생 딸)가 회사에서 지게차와 충돌하는 사고로 중환자실에서 사경을 헤맨다고 합니다.

"누나, OO이가 사고로 신장과 비장을 떼는 수술을 했대. 누나 기도가 절실해…."

막냇동생이 울먹이는 목소리로 전화를 했습니다. 묵주를 손에 들고 조카를 생각하며 기도를 합니다.

"전능하신 천주 성부, 천지창조를 저는 믿나이다."

사도신경으로 시작된 묵주기도 중 조카를 기도 안으로 끌어안고 현 상황을 읊조리며 하느님 힘을 청하는데, 환하게 웃고 있는 조카 얼굴이 떠올라 기도를 할 수가 없었습니다. 동생과 올케, 그리고 딸 랑구까지 어미 기도가 필요하다는데, 어미는 어제도 오늘도 우리 조카를 위해 기도하려 두 손 모으고 두 눈을 감아도 본다만, 웃고 있는 조카가 좋아서 이름만 되뇌다 흐르는 눈물을 피식 웃으며 손등으로 닦아냅니다.

아들과의 뒷동산 놀이를 하면서도 마음은 우리 조카에게 향한 채 며칠을 정신없이 보내는 요즈음, 그래도 오늘 살아 있음이 참 좋다는 생각이 미소짓게 합니다.

1118

불후의 명곡

콘서트 대신 불후의 명곡으로 눈과 귀 호강을 해봅니다. 잔나비가 나오니 아들의 분신인 원숭이라 하고, 찬원이가 나와 트위스트를 부르자 잘생겼다며 환호하는 관객들 모습을 보며 아들이 더 잘생겼다고 합니다. ㅎㅎㅎ 그다음엔 영탁이 나와 '찐찐찐이야'를 열창하니 '아들이 진짜'라고 하면서 어미 병원비를 누가 내주냐며 아들 승현이뿐이라고 강조합니다. 패티김이 나오자, 아들 역할은 이것으로 끝이라며 아들 방으로 컴백한다 하네요. 아들의 중계와 티비 속 음률이 합해져 "어쩌다 생각이 나겠지~그 옛날 그 언약을 생각하면서~ 산을 넘고 멀리멀리~" 어미도 흥얼흥얼 따라 불러봅니다.

"그대는 내 친구여, 내 사랑아. 나 죽어도 그대 잊지 않으리. 아직도 그리운 사랑, 그대는 내 친구여~"

패티김의 노랫말에 인생을 접목시켜 보면서 늦가을 밤을 즐겨봅니다. 싸이가 등장하니 아들 다시 나와 알랑가 몰라를 따라 말하며 모르는 게 없는 사람이라고, 듣고 싶지 않다면서 언제 끝나냐고 짜증을 부립니다. 마침내 강남 스타일로 마무리되는 불후의 명곡을 보더니 "휴! 세상이 다 조용하네. 이제부터는 주말 드라마 볼 테니 엄마는 들어가셔" 합니다.

　오늘도 서로 다른 생각을 조율하면서 어미와 아들이 살아가는 이야기를 저장해 봅니다.

1125

12월

뱀이 기어 다니는 이유

비가 오나 눈이 오나 바람이 불어도 빠짐없이 오르는 뒷동산. 오늘은 열두 동물 중 뱀 이야기를 하며 수다를 떱니다. "엄마, 뱀은 머리가 참 좋다?! 지혜가 넘치는 동물이야~" 하더니 뱀이 원래는 두 다리로 걸어 다녔다고 합니다. 그래서 그러면 왜 기어 다니느냐고 물으니 아들도 모른다고 합니다. 모른다는 아들에게 두 다리로 걸어 다닌 것은 어떻게 알았냐고 물었지요.

"어느 날 걸어 다니는 뱀에게 하느님이 '요롱이(뱀의 이름)야~ 너는 머리도 좋고 지혜가 많으니 내일부터는 기어 다니거라~' 하는 바람에 숲으로만 숨어서 기어 다니게 된 거야. 알아들어, 어머니?"

어미가 픽 웃으며 아들을 쳐다보니까 "엄마, 뱀이 스르륵 기어가는 속도가 굉장히 빠르거든??" 아들의 목소리가 점점 커지고 힘이 들어가면서 흥분을 합니다. 어미가 알았다고 하면서 아들 손을 꼭 잡으며 어제보다는 덜 춥다고 방향을 틀었더니, 혀를

날름거리면서 "나는 요롱이, 겨울이니 추운 건 당연하지! 주말이면 추위는 풀린다 하거라~" 합니다. ㅎㅎㅎ 뱀으로 둔갑 했느냐고 묻자, 아들의 몸속으로 요롱이가 들어와 합체가 되었노라합니다. 아~ 그러시냐고 답해주는데 아들이 "오늘 점심은 뭘 먹을까?" 하며 말꼬리를 돌립니다. 아들에게 되물으니 아들이 먼저 물었으니 어미가 답을 해야 한다기에 "누룽지 탕!"이라고 답하자 '금시초문'이랍니다. 금시초문이라는 대답에 어미는 빵 터져 웃으며 "사랑하는 아들, 금시초문인 누룽지 탕 한번 먹어 보시길~" 했지요. 알았노라고 하는 아들이랑 차가운 겨울 공기를 따뜻하게 순환시키는 뒷동산 놀이가 되었습니다.

   & 사진은 지리산 고운동천을 그리며 올려봅니다.

좌청룡 우백호

띡띡띡 현관문 비밀번호를 누르는 소리와 함께 딸랑구가 "엄마 나 왔어~" 하며 동시에 아들에게 '같이 운동 하려고 왔노라' 하니 그러냐며 "잘했어" 하는 아들의 반응이 나쁘지 않습니다. 어미는 아들 딸랑구를 앞세우고 뒷동산을 오르니 입가에 미소 가득입니다. 그런 어미에게 아들이 우백호 좌청룡의 보호를 받으시니 행복하시겠노라고 합니다. 딸랑구가 "맞네~ 아버지 범띠인 백호와 어미 용띠 청룡!"이라고 합니다. 우연한 발상에 맞아떨어지는 이론이 뿌듯해 좋아라하는 어미입니다. 딸랑구 덕분에 아들은 심술 없이 괜찮은 오빠로 동생과 주절거리며 뒷동산 정상에 도달했습니다.

커피 아저씨들께 딸랑구가 인사를 하니 커피로 답해주는 정겨움과 아들의 무술 공연에 박수로 응해주는 고마움까지 어우러져, 인간관계가 성립되는 멋진 인생의 한 장으로 저장합니다.

그리고 오늘은 어미가 안과 가는 날입니다. 아들이랑 둘이 안과 검진을 갔는데 아들이 보호자 역할을 제대로 합니다. 의사 선생님께 다음에는 언제 오면 되느냐고 확인을 하고, 어미랑 안과 방문하는 게 아들의 행복이라고 하면서 폼 잡으며 진료비 계산을 합니다. ㅎㅎㅎ 아들이 스스로 주관하는 걸 뿌듯해하며, 든든한 아들이 있어 행복한 줄 알라고 강조를 합니다.

오후에는 감기로 목소리와 기침을 하는 어미를 딸랑구가 병원을 예약했다고 끌고 갑니다. 병원이 싫어서 밍기적거리는 어미에게 딸랑구는 약 처방전만 받을 거라고 하고, 어미는 "병원은 싫은데~" 하며 병원에 갑니다. 정신없이 진료를 끝내고, 커피 두 잔을 사든 다음 딸랑구 집으로 가서 2~30분 두런두런 수다를 떨었습니다. 그 몇 마디 나눔이 좋아서 마지못해 따라 나섰지요.

아들 딸랑구의 보살핌이 당연하게 자리하며 나이 들어 늙은 어미의 현실이 우리네 인생살이지 싶습니다.

1208

뒷동산 인연들

2023년도 막바지 12월 중순에 다다랐습니다. 한 해를 마무리하면서 뒷동산의 인연으로 따뜻함을 저장한 마음을 열어보렵니다.

꽤나 오랜 세월 동안 매일 오르는 뒷동산에서 참으로 많은 사람들과 스치며 지나쳤습니다. 통성명은 모릅니다. 그저 매일의 만남이 눈인사로 시작하여 "안녕하세요"로 발돋음 하니, 아들이 '안녕하세요' 하지 말고 '반갑습니다'로 바꾸어 주었습니다. 중간중간 어미와 따로 국밥이 되어 아들과 잠시 헤어짐과 만남을 하는 놀이를 하는 과정에서 아들에게는 "엄마는?" 하고, 어미에게는 "아들은?" 하고 물으면, 어미와 아들이 다시 합체가 되어 서로를 입증하며 반가움으로 하하호호 즐깁니다.

산 정상에서 갖는 커피 타임에서는 아들의 무술 공연을 한결같은 마음으로 응원해주는 선생님들이 있습니다. 돌아가신 친할아버지 모습이 엿보인다고 고장환 할아버지라 칭하는 선생님은 잔잔한 정으로 오늘은 무슨 날이냐며 묻고, 산에 왔으니 커피 한잔은 해야 한다며 갈 길을 늦추면서까지 어미와 아들을 기다려주는 선생님, 역사의 흐름 안 구석까지 체험하며 살아온 개인택시를 운행하는 선생님, 장교 출신으로 전역한 선생님, 신장이 안좋아 월수금마다 가는 투석을 학교 가는 날이라는 유머로 긍정의 힘을 주는 선생님, 주말에만 오른다는 선생님은 (아들이 만만하게 접근하며 박수를 유도하는 분이지요) 정겨움으로 아들의 못된 면까지 수용해 주고 어미에게 응원을 보냅니다. 그리고 근육이 굳어가는 병으로 매일이 감사하다는 선생님, 아들이 만만히 여기며 포악을 떨어도 괜찮다며 어미 손을 꼬옥 잡아주더니 제주에서 언니가 귤 농장을 한다고 택배로 보내주는 아이들 동창 엄마, 어쩌다 만나면 주머니에서 뭔가를 꺼내 주고 가는 젊은 엄마, 만나면 좋아라 하더니 이제는 이쁜 누나가 된 예쁜 사람, 눈이 커다란 왕눈이 아주머니, 어쩌다 만나도 반가운 젊은 부부, 책을 읽고 감명받았다며 울먹이던 키 큰 아주머니와 키 작은 아주머니(일명 서수남과 하청일).

이렇게 많고 많은 인연들 덕분에 매일을 행복할 수 있노라고 소리쳐 봅니다.

1216

행복 두 배

오늘은 목요일. 딸랑구가 뒷동산 코스 놀이에 동행하는 날입니다. 올겨울 들어 최고 추운 날, 아들과 딸랑구의 말소리가 얼어붙을 줄 알았는데 두런두런 어미 귓가를 따뜻하게 두드려 미소 가득입니다. 아들은 동생과 함께 뒷동산을 오르니 심술없이 코스 놀이를 하고, 어미는 몇몇 만나는 사람들에게 딸랑구라고 자랑하듯 소개를 하며 정상에 도달했습니다. 커피 타임 코스에서 아들은 생강차를 들고 아들만의 코스놀이를 하고, 딸랑구와 어미는 커피를 챙겨 둘만의 시간을 즐기며, 또하나 걸음걸이 수를 알아보는 앱을 열어보고 확인해 보는 재미를 즐겨봅니다. 춥지만 나의 기록을 저장해 살펴보는 램블러 앱이 즐거움을 맛보는 행복입니다.

딸랑구와 아들이 "점심은?" 하더니 우동으로 결정, 딸랑구가 끓여냅니다. 아들이 먹으면서 "엄마, 잘 키워 놓으니 제법이지?" 하네요. ㅎㅎㅎ 어미가 웃으며 아들도 잘 자랐노라고 하니까 아들이 동생과는 비교 불가라고 하기에, 어미 아들도 잘 자랐고 뒷동산을 오르고 내릴 때 늙은 어미 챙기느라 애쓴다 했더니 당연하다 하는 아들이 좋아 머리 한번 만져주며 뿌듯해하는 어미, 행복을 저장합니다.

1221

화이트 메리 크리스마스

필~필~ 눈이 옵니다. 하늘나라 선녀님들이 자꾸자꾸 뿌려줍니다. 눈이 오는 뒷동산 코스 놀이를 위해 어제 딸랑구가 성탄 선물로 준 새 장갑을 끼면서 아들이 "뭘 이런걸~"합니다.

뒷동산을 오르면서 또 한마디 합니다. 새하얀 눈길을 걷는 기분이 어떠냐 했더니 눈 쌓인 성탄절이 몇 년 만이냐며 '화이트 메리 크리스마스'라고 합니다. 화이트 크리스마스가 정말 오랜만이라고 하니까 화이트 메리 크리스마스라며 메리가 빠져서는 안된다고 하더니 겨울의 맛은 눈이라고 합니다. 그런 것 같다고 답하면서 어미도 한소리 합니다.

"아들아, 눈이 오는 날은 그냥 참 좋다. 엄마가 어렸을 때 눈이 오면 눈싸움도 하고 눈사람도 만들면서 얼굴이 빨개지도록 엄청 뛰어다니면서 놀았는데~" 하니까 "어이구~ 어머니, 지금 나이를 생각하셔야지. 철부지 같은 소리는 그만 하셔." 하네요. "아니, 아들아. 눈이 좋아 옛날을 생각하는데 철부지가 왜 나와?" 하는데 딸랑구 전화가 옵니다. 눈이 오니 미끄럽지 않냐며 조심하라기에 손이 후끈후끈~ 따뜻하다고 장갑의 고마움을 전합니다. 아들에게 동생 전화라고 하며 장갑이 어떠냐고 한다니까 '참 좋다' 하랍니다.

눈이 오는 뒷동산 코스 놀이를 오늘도 잘 보냈습니다.

1225

작가의 말

"엄마, 내방이 어디야?"

2014년 어느 날, 아들이 장난처럼 내뱉은 말을 시점으로 아들 혼자 오르던 뒷동산을 어미와 함께 하게 되었습니다. 매일을 함께하면서 어미는 창살 없는 감옥에 갇혀버린 듯 아들과 힘겹게 보냈고, 그러한 마음을 조금 풀어보고자 페이스북이라는 공간에 일기처럼 글을 올리게 되었습니다. 별생각 없이 푸념처럼 아들과의 산행기를 올리다 보니 아들을 향한 마음을 읽을 수 있었고, 어미 인생길에 마지막 숙제를 풀어간다는 마음을 먹으니 아들과의 매일이 변해감을 알 수 있었습니다.

그렇게 하루하루를 쌓으며 '오늘'이라는 하루를 사랑하고 '내일'을 기다리는 지금에 이르렀습니다. 페이스북에 올린 글을 딸랑구가 매년 책으로 엮어주면, '작가의 말'이라는 마무리 글을 올리곤 했지요. 그동안 페이스북이라는 울타리 안에서 많은 친구들과 소통하고 그들의 삶을 엿보며 정을 쌓을 수 있었습니다. 덧붙여 올해는 뒷동산에서 만나는 사람들에게 어미의 책을 나눠주면서 아들이 하는 어떠한 행동과 말에 이해를 구할 수 있었지요. 처음엔 시작하기도 어려웠던 관계들이었는데, 지금은 아들을 따뜻한 시선으로 바라봐주는 마음과 향기를 느낄 수 있습니다.

빨주노초파남보 각각의 색깔이 한데 어우러져 '무지개'라는 아름다운 색채를 이루듯, 서로가 가진 모양 그대로를 인정해 주며 함께하는 세상이 우리 인간에게 부여된 삶이고, 그것이 바로 우리네 이야기가 아닐까 하는 거창한 생각으로, 어미 생이 다 하는 그날까지 아들과의 매일을 잘 살아보겠습니다.

아들이 조금씩 커가는 모습을 일기처럼, 때론 숙제처럼 쓰면서 어미를 돌아볼 수 있는 계기가 되었던 뒷동산행기를 올해를 마지막으로 이제는 문 닫으려 합니다. 어쩌다 생각이 나면 열어보고, 기록을 하고 싶으면 페이스북이나 산에서 만났을 때 소식을 전할 날을 고대해 보면서 그동안의 모든 인연들과 세월이라는 매일에 감사합니다.

2023년 12월 마지막 날, 조옥화 드림